LA AVENTURA  DE LA CIENCIA

Hurgando en el cerebro de Einstein

Aprende a pensar como un genio

Diane Swanson
Ilustraciones de Warren Clark

ONIRO

COLECCIÓN DIRIGIDA POR CARLO FRABETTI

Título original: *Nibbling on Einstein's Brain*
Publicado en inglés por Annick Press Ltd.

Traducción de Joan Carles Guix

Diseño de cubierta: Valerio Viano

Distribución exclusiva:
Ediciones Paidós Ibérica, S.A.
Mariano Cubí 92 - 08021 Barcelona - España
Editorial Paidós, S.A.I.C.F.
Defensa 599 - 1065 Buenos Aires - Argentina
Editorial Paidós Mexicana, S.A.
Rubén Darío 118, col. Moderna - 03510 México D.F. - México

© 2006 exclusivo de todas las ediciones en lengua española:
Ediciones Oniro, S.A.
Muntaner 261, 3.º 2.ª - 08021 Barcelona - España
(oniro@edicionesoniro.com - www.edicionesoniro.com)

ISBN: 84-9754-230-4
Depósito legal: B-27.879-2006

Impreso en Hurope, S.L.
Lima, 3 bis - 08030 Barcelona

Impreso en España - *Printed in Spain*

Al Committee
for the Scientific Investigation
of Claims of the Paranormal (CSICOP)
en su 25.° aniversario.

Agradecimientos

Mi más expresivo agradecimiento a Barry Beyerstein, científico, profesor en la Universidad Simon Fraser y miembro del Consejo Ejecutivo del CSICOP, por su lectura entusiasta del manuscrito y la sugerencia de cambios y añadidos; a Carolyn Swanson, candidata a doctora en filosofía analítica en la Universidad McMaster y la Universidad de Guelph, por sus interesantes reflexiones; a John Allen Paulos, de la Universidad Temple, por autorizar la cita de «Who Wants to Be a Sci-Savvy President?» en su columna «Who's Counting», ABCNEWS.com, 1 de marzo de 2000; a innumerables científicos y otros eruditos, incluyendo a Stephen Barrett, Cynthia Crossen, Richard Dawkins, Martin Gardner, Robert Hazen, Cooper Holmes, Peter Huber, John Allem Paulos, James Randi, Carl Sagan y James Trefil, cuyas obras me han informado e inspirado; a Jane Billinghurst por su edición creativa, meditada y minuciosa; a Elizabeth, Nathan y Taylor McLean por sus comentarios tan útiles y su apoyo; a Warren Clark por sus excelentes ilustraciones y diseño del libro; a Collen MacMillan por su infatigable ánimo; y a Wayne Swanson por estar siempre ahí.

Índice

1 Cuidado con la mala ciencia

No tardará en llegar el día, si es que no ha llegado ya, en el que te darás cuenta de que te han orientado rematadamente mal. Al igual que cualquier otra persona, probablemente habrás tomado decisiones importantes sobre la base de una mala ciencia, o de un enfoque incorrecto de la buena ciencia. Supongamos por ejemplo que compraste una botella de jarabe para la tos del doctor Smart para el abuelo sin saber que el doctor en cuestión no lo había probado en seres humanos, sino sólo en perritos falderos. Y ¿qué decir de tu decisión de abandonar tu sueño de ser maestro porque un análisis caligráfico concluyó que no servirías para ello? Imagina que has dejado de tomar tu refresco favorito, Soda Sosa, porque un periodista anunció que podía hacerte enfermar, sin saber que olvidó mencionar que deberías ingerir cuarenta vasos al día para sentirte mal. Te han guiado por el sendero equivocado... ¡tres veces!

¿Por qué? En realidad no puedes dar por supuesto que la garganta de tu caniche vaya a responder igual que la del abuelito. Después de todo, existen notables diferencias entre los perros y las personas. Asimismo, un análisis de la caligrafía es algo así como una echadora de cartas. Es divertido ver lo que tiene que decir, pero por supuesto no deberías planificar tu vida ni tu profesión a partir de su oráculo. Y en lo que a la Soda Sosa se refiere, piensa un poco. A diario comes alimentos que podrían ser perjudiciales si abusas de ellos. La sal, por ejemplo. En pequeñas cantidades ayuda a contraer los músculos, pero en exceso puede disparar la tensión sanguínea, fomentar el desarrollo de cálculos renales o provocar intensas jaquecas. Que la ingesta de algo en grandes cantidades pueda ser inseguro no significa que en pequeñas vaya a ser malo.

¿Qué arriesgas a perder si no filtras la mala ciencia, y los enfoques erróneos de la buena, ocultos entre tanto material correcto? El cielo es el límite, pues la ciencia afecta a todos los aspectos de tu vida. Influye en lo que comes y bebes; determina el tipo de casa en el que vives, el de bicicleta que montas y la velocidad con la que puedes contactar con tus amigos a través de Internet; afecta al tratamiento que recibes cuando estás enfermo o te has lesionado, desde un simple vendaje aplicado en una herida hasta la cámara de vídeo en miniatura que tal vez algún día podrías ingerir en una píldora para ofrecer una visión interna de tu úlcera de estómago.

Imagina lo que sucede cuando una ciencia inadecuada o equivocada penetra en tu vida y se usa incorrectamente para determinar si un producto es «seguro» o no; te persuade de comprar alimentos «basura»; fomenta los tratamientos médicos deficientes que no contribuyen a la curación y que desaniman por su falta de eficacia. En pocas palabras, se utiliza para hacer declaraciones poco fiables o incluso falsas. Por ejemplo, los médicos han proporcionado un testimonio «experto» a quienes aseguran que la causa de su cáncer había sido un chichón provocado por el impacto de una lata de refresco o el mango de un paraguas. Uno de ellos defendió el testimonio de un adivino según el cual, como consecuencia de un escáner cerebral que le realizaron en el hospital, había perdido la capacidad de predecir el futuro. Un tribunal le concedió una indemnización de un millón de dólares por la pérdida, aunque más tarde, otro juez revocó la sentencia.

«Los fraudes científicos (...) se intentan casi a diario en nuestros tribunales, y muchos prosperan.»

Peter W. Huber, abogado

Algunos grupos de liderazgo de opinión se valen de la mala ciencia para desorientar al gran público. Un famoso ejemplo estuvo relacionado con Alar, un producto utilizado para pulverizar las manzanas con el fin de que conservaran su frescura. En los años ochenta, los científicos estaban preocupados; una dosis muy elevada de Alar podía provocar cáncer en ensayos con animales. En 1989, un *lobby* que insistía en la necesidad de prohibir el producto en Estados Unidos hizo públicos los resultados de un estudio de escasa fiabilidad en *60 Minutes*, un noticiario de televisión. Aunque los animales utilizados en el estudio habían sido expuestos a cantidades de Alar 266.000 veces superiores a las indicadas para su uso en las manzanas, los investigadores concluyeron que Alar amenazaba la vida humana, sobre todo la de los niños.

La bebida de la muerte

Las «curas» que no han sido probadas científicamente pueden ser inútiles en el tratamiento de enfermedades. O peor, incluso podrían provocarlas. En los años veinte, una patente de fármaco que aseguraba curar más de 150 trastornos de la salud, resultó ser fatal. «Radiothor, la nueva Arma de la Ciencia Médica» rebosaba radio, un metal radiactivo utilizado en la elaboración de pinturas fosforescentes y, en condiciones controladas, en el tratamiento del cáncer. A diferencia de los fármacos actuales, sometidos a centenares de millones de dólares de investigación científica durante alrededor de 15 años antes de su homologación. Radiothor nunca fue estudiado como es debido y nadie sabía los efectos que podía tener en el consumo humano diario. William Bailey, que comercializó la medicina, carecía de cualificaciones médicas o científicas; simplemente insistía en que Radiothor era seguro porque él mismo lo tomaba.

Un hombre estuvo tomando

dos o tres ampollas de aquel fármaco cada día durante dos años para sentirse más enérgico. Al principio parecía funcionar, pero luego adelgazó muchísimo, le cayeron algunas piezas dentales y desarrolló una osteoporosis galopante en los huesos de todo el cuerpo.

Poco después falleció de envenenamiento por radio. Y ¿qué le ocurrió a William Bailey? Cuando los investigadores exhumaron sus restos veinte años más tarde de su muerte, descubrieron que la «medicina» también lo había destruido. ¡Su cuerpo seguía emitiendo radiactividad!

Cuando *60 Minutes* difundió el estudio, cundió el pánico. Familias y comercios echaron a la basura toneladas de manzanas y zumos de manzana, y presionaron al gobierno norteamericano para que prohibiera el uso de Alar. Aunque las agencias gubernamentales de medio ambiente y alimentación aseguraron que en pequeñas cantidades era inocuo, los consumidores seguían insistiendo. Aquel mismo año fue retirado de la venta. Nadie sabe si la decisión fue verdaderamente acertada. La cuestión es que el producto se prohibió por una razón errónea: una investigación insuficiente e incorrecta.

Con todo lo que está sujeto a los efectos de la ciencia, la necesidad de distinguir lo bueno de lo malo es crucial, y aunque pueda parecer difícil, lo cierto es que no hace falta ser un científico de cohetes (en realidad, científico de ninguna clase) para conseguirlo. Lo esencial es estar dispuesto a formularse preguntas y a pensar con claridad, algo en lo que este libro sin duda alguna te ayudará:

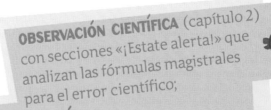

OBSERVACIÓN CIENTÍFICA (capítulo 2) con secciones «¡Estate alerta!» que analizan las fórmulas magistrales para el error científico;

LOS MEDIOS DE COMUNICACIÓN (capítulo 3), con «Alertas mediáticas» que examinan cómo la información puede confundir o tergiversar la ciencia; y

¡OJO CON LA MENTE! (capítulo 4) con «Trampas mentales» que explican cómo la mente humana (tu mente) puede enredar las noticias científicas que recibes.

El libro también sugiere algunas estrategias ganadoras (capítulo 5) que pueden ayudarte para seguir el camino correcto y desarrollar tus habilidades. Echemos ante todo un vistazo a la ciencia.

Primero:
La «buena ciencia»

No te equivoques, los científicos realizan innumerables investigaciones útiles. ¿Dónde estarías, si no? Sólo durante el último siglo la ciencia ha contribuido a ampliar los suministros alimentarios, erradicar muchas enfermedades, prolongar la esperanza de vida y explorar el espacio, incluso llevar al ser humano a la luna. Asimismo, ha inventado los shorts de licra y las gafas de sol polarizadas, y te ha permitido descargar tu música favorita en Internet.

Aunque existen muchísimos avances científicos que simplifican la vida cotidiana o la hacen más interesante, la ciencia no es sólo una montaña de descubrimientos y un amasijo de datos. De manera que si pretendes identificar la mala ciencia, primero deberás comprender cómo funciona la buena, familiarizarte con el «método científico».

> «La ciencia es esencialmente una estructura para hacer preguntas. Todos los niños de cinco años son científicos naturales, ya que todos ellos se muestran curiosos ante el mundo.»
>
> Robert Pollack, biólogo

Teóricamente hablando

Los científicos desarrollan teorías, o explicaciones lógicas basadas en información científica, y diseñan investigaciones para demostrarlas. Hacen experimentos, realizando observaciones precisas y, en lo posible, mediciones exactas. Imagina que el doctor Cito quería demostrar una teoría según la cual las ratas nadan más deprisa tras haber ingerido guisantes ricos en proteínas. En su laboratorio, podría comparar las velocidades natatorias de una gran cantidad de ratas antes y después de haber comido una cierta cantidad de guisantes. Asimismo podría comparar estas velocidades con las de otras ratas que habían ingerido una cantidad determinada de alubias sin proteínas. El doctor Cito analizaría los resultados y extraería algunas conclusiones, descubriendo por ejemplo que aquéllas eran doblemente veloces que éstas, lo cual parecería apoyar su teoría. Pero si los ensayos dieran resultados similares, debería revisarla.

Muchas veces, al realizar todo tipo de investigaciones, los científicos descubren que los resultados los obligan a revisar o incluso sustituir sus teorías originales, y las nuevas los guían hasta nuevos experimentos y análisis, que generan a su vez nuevas conclusiones que, también a su vez, alteran nuevamente aquellas teorías. Y así sucesivamente. Durante el camino, este método científico ayuda a los investigadores a descubrir muchísimas cosas acerca de «lo que no es» y los conduce hasta «lo que es».

Faraday y el generador eléctrico

Michael Faraday (1791-1867) no fue sólo un brillante científico inglés, sino que está considerado como «uno de los más grandes experimentalistas de la historia». Y por una buena razón. De joven, Faraday concibió la idea de que si la electricidad podía generar magnetismo al igual que lo hacía un electroimán, entonces el magnetismo podía producir electricidad. No sólo basó sus teorías en presentimientos, sino en la ciencia de la época, incluyendo los ensayos de William Sturgeon, que construyó el primer electroimán, y sir Humphry Davy, que descubrió que el hilo de cobre atrae limaduras de hierro cuando circula electricidad. Faraday realizó experimentos para verificar su teoría y fracasó. Durante nueve años continuó

haciendo ensayos, analizándolos y revisando su teoría.

Finalmente, su esfuerzo tuvo su recompensa. En 1831 demostró que podía mover un cable a través de un campo magnético y producir electricidad. Por simple que fuera, había inventado el primer generador eléctrico. Siguiendo el protocolo científico, Faraday informó de sus investigaciones a sus colegas, que revisaron y ensayaron sus trabajos. Su generador se convirtió en un hito mundial, y al poco tiempo se producía más electricidad con el método de Faraday que de cualquier otra forma.

Junto y entrelazado

A medida que los científicos van reuniendo conclusiones de sus estudios, va creciendo también la cantidad de información, que les permite comprender mejor lo que están investigando. Una parte de esta información se somete a repetidos ensayos hasta que al final es ampliamente aceptada. La relación entre fumar y el cáncer de pulmón, por ejemplo, se estableció después de décadas de experimentación utilizando muchos tipos diferentes de estudios.

La buena ciencia casi nunca deriva de una única fuente, sino que se construye a partir de las contribuciones de distintos científicos, al igual que Faraday ideó su generador eléctrico con la contribución de otros investigadores en su campo. Investigar es algo así como resolver un puzzle gigantesco en el que participan muchas personas hasta que consiguen componerlo. Cada vez que alguien completa una parte del puzzle, ayuda a los demás a localizar dónde encajan las piezas, y la sucesión de soluciones permite a los científicos terminarlo más fácil y rápidamente de lo que lo haría uno de ellos trabajando solo.

El Proyecto del Genoma Humano, en cuyo estudio han intervenido innumerables equipos de científicos internacionales durante diez años de investigaciones, es un buen ejemplo. ¿Su objetivo? Trazar un mapa de todos los genes (los bloques de construcción de la vida) del cuerpo humano. Finalizado en el año 2000, ahora este mapa genético ayuda a científicos de todo el mundo a descubrir, entre otras cosas, cómo se podrían tratar e incluso prevenir enfermedades vinculadas entre sí.

Entrecruce de información

Además de trabajar juntos, los científicos verifican el trabajo de sus colegas. Independientemente de la fiabilidad con la que se haya realizado un estudio, no se acepta hasta que otros investigadores comprueban su validez. Quienquiera que repita el experimento debería llegar a conclusiones similares a las del primer científico. En caso contrario, los resultados originales podrían ser incorrectos o fruto del azar.

«La ciencia es un intento, en general satisfactorio, por comprender el mundo, captar el sentido de las cosas, comprendernos a nosotros mismos y caminar por la senda correcta.»

Carl Sagan, astrónomo

La práctica del entrecruce ha dado lugar a miles de revistas científicas en todo el mundo en las que sus editores informan acerca de estudios realizados a grupos de investigadores llamados «árbitros», encargados de comprobar si se ajustan a altos estándares de trabajo. Tan estrictos son estos estándares, que algunas de las revistas más prestigiosas rechazan más del 80% de los informes que reciben. Los árbitros se aseguran de que los métodos de investigación son correctos y que los resultados obtenidos han sido debidamente analizados. También examinan si otros científicos han repetido los experimentos, animando a otros muchos a realizarlos.

Este sistema de entrecruce y publicación no es perfecto, pero ayuda a diferenciar lo correcto de lo incorrecto (lo «bueno» de lo «malo»). Los científicos consideran su derecho y su deber ensayar las investigaciones de otros colegas. Así es como progresa la ciencia.

¿Zamparse una memoria?

¿No sería más fácil la vida si pudiéramos absorber los conocimientos matemáticos «degustando» cerebros saturados de esta ciencia? Después de todo, comemos cerebro de animales aderezados en ocasiones con salsa de champiñones y guisantes. Hubo un tiempo en que los caníbales de Nueva Guinea creían que podían absorber las habilidades y conocimientos de sus enemigos devorando su cerebro.

En los años cincuenta y sesenta un grupo de brillantes científicos empezaron a experimentar con la idea de «memorias ingeribles», convencidos de que las compilaciones estaban alojadas en el cerebro en forma de moléculas de proteína, concluyendo que cuando un animal comía el cerebro de otro, los recuerdos de la víctima podían transferirse al depredador.

Experimentos realizados con gusanos, ratas y peces parecían apoyar esta teoría. Por ejemplo, los investigadores adiestraron a gusanos a temer la luz sometiéndolos a descargas eléctricas cuando recibían un haz luminoso. Luego los trituraban y daban de comer a otros congéneres que nunca habían experimentado las descargas. Curiosamente, también cundía el pánico entre éstos últimos ante la exposición a la luz. La investigación parecía confirmar la teoría de las memorias ingeribles.

No obstante, en 1966, veintitrés científicos informaron en la revista profesional *Science* que los experimentos que ellos mismos habían llevado a cabo no corroboraban las conclusiones de aquellos estudios. Gracias a la tradición científica del entrecruce de información,

la teoría se sumió en el olvido. Así pues, ni siquiera en el hipotético caso de que pudieras degustar el cerebro de Einstein, lo cual, en teoría sería posible, ya que conservan algunas partes del mismo, podrías ver aumentado tu cociente intelectual.

Transmisión de información

El conocimiento científico que se filtra a lo largo de las décadas se materializa en los libros de texto, recopilaciones de datos que la mayoría de los investigadores han aceptado, como por ejemplo la órbita de la Tierra alrededor del sol, que todo está formado por átomos, que el corazón bombea la sangre por todo el cuerpo y que, te guste o no, tu aspecto físico es en parte herencia de tus padres.

Nuevos descubrimientos científicos están filtrándose en estos precisos instantes en este largo proceso. En su mayoría no se han demostrado: una parte de la «ciencia pionera» que estudia cosas tales como la inteligencia artificial (robots más inteligentes que tú) y terapias de la eterna juventud. Aun así, la investigación en todos los campos de la ciencia pionera podría ser coherente con los métodos y principios básicos de la ciencia de los li-

Las pasaderas de la ciencia

Las caras de la ciencia

Monos, estrellas, volcanes, medicinas, criminales. La ciencia examina millones de cuestiones diferentes. Su extensa telaraña de investigación contiene miles de hebras, o áreas de estudio, todas ellas siguiendo las mismas sendas de análisis que conducen al descubrimiento. La mayoría de estas áreas caen en la esfera de varias disciplinas de amplio alcance: física, química, biología, geología y ciencias sociales.

Un físico estudia la energía y la materia (cualquier cosa que ejerza una fuerza u ocupe un espacio).

DATOS

TEORÍAS

INVESTIGACIÓN

CONCLUSIONES

TEORÍAS REVISADAS

MÁS INVESTIGACIÓN

VERIFICACIÓN

MÁS DATOS

bros de texto. De lo contrario, mejor sería que no te fiaras demasiado de tales descubrimientos.

Esto no significa que sólo la ciencia pionera esté cambiando y desarrollándose. Incluso la de los libros de texto se actualiza de vez en cuando. En el siglo II el astrónomo griego Ptolomeo pensaba que el sol giraba alrededor de la Tierra, una idea ampliamente aceptada durante cientos de años. Más tarde, el astrónomo polaco Copérnico (1473-1543) enunció una teoría diferente: era la Tierra la que orbitaba alrededor del sol. Pero hubo que esperar alrededor de un siglo, en 1632, para que se inventara el telescopio, un «ojo en el cielo», y el astrónomo italiano Galileo confirmara la teoría de Copérnico.

Un geólogo estudia el desarrollo de la corteza terrestre.

Un químico estudia las sustancias básicas, tales como el hidrógeno y oxígeno, y cómo se combinan para formar sustancias complejas.

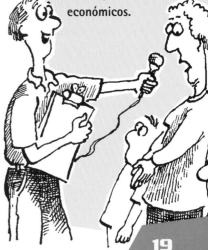

Un especialista en ciencias sociales estudia el comportamiento individual y de grupo, y compara diferentes culturas y sistemas económicos.

Un biólogo estudia los seres vivos, principalmente las plantas y los animales.

Y ahora, la «mala ciencia»

Los errores y los farsantes también están presentes en todas las disciplinas científicas, ocasionando una infinidad de problemas: investigadores incompetentes, diseños de estudios y métodos deficientes, datos poco fiables, análisis incorrectos o conclusiones sin base científica. Es decir, la información que los árbitros intentan descubrir a toda costa en las revistas científicas.

Una parte de esta ciencia errónea tiene su fundamento en presentimientos, no en teorías ni estudios científicos. Por ejemplo, algunos grafólogos, que aseguran ser capaces de definir tu carácter mediante la caligrafía, piensan que puntuar la letra «i» con un círculo revela creatividad, y ofrecen como «evidencias» historias tales como ésta. Janice y Fred la puntúan así. Él es un gran pianista y ella una pintora excepcional. Pero los grafólogos no verifican sus ideas comprobando cuántas personas que puntúan la «i» con un círculo no son creativas ni artísticas y cuántas que no la puntúan de esta guisa sí lo son.

Un mal investigador suele desarrollar teorías que en general son imposibles de verificar. Ima Fuzzhead, por ejemplo, tiene una «teoría» según la cual comer pastillas de chocolate provoca urticaria simplemente porque su abuelo dice que alguno de los ingredientes que contienen afecta a la piel. Pero no ha pensado en si las pastillas en cuestión afectan de un modo diferente a algunos individuos y a otros, o si distintas marcas o tipos podrían dar resultados diversos, o incluso si la cantidad en la ingesta también cuenta.

Ni tan siquiera ha definido de qué tipo de urticarias está hablando. Ante la vaguedad de su teoría, otros científicos no pueden comprobar si es válida o no, pues no saben qué verificar: ¿las pastillas de un tipo de chocolate o de otro?, ¿la cantidad de pastillas que se comen? Asimismo, desconocen realmente lo que están buscando: ¿enrojecimiento en todo el cuerpo?, ¿sólo en los brazos? Las teorías científicas son precisas cuando otros investigadores pueden diseñar experimentos para verificarlas. La ciencia sin detalles suele ser mala ciencia.

La «traserología» es el estudio de... ¿lo adivinas? ¡Sí! ¡El trasero! Quienes la practican dicen ser capaces de constatar el estado de la salud y la vida sentimental en las líneas del culete. Así pues, ¡vista atrás!

A diferencia de los buenos científicos, los investigadores incompetentes no aceptan las críticas que, de otro modo, podrían ayudarlos a progresar. Con frecuencia no someten su trabajo a revistas donde otros colegas puedan cuestionarlas, sino que lo publican en periódicos y revistas populares y en páginas de Internet, donde no existe ningún mecanismo de revisión profesional y donde muchos lectores podrían mostrarse impresionados independientemente de su falta de fundamento.

Algunos creadores de la mala ciencia saben que lo que están haciendo es incorrecto, y les mueve un propósito deliberado de defraudar. Más comunes son quienes creen sinceramente en sus estudios pero no comprenden lo suficiente los métodos científicos como para reconocer sus errores. Ambos tipos confunden y engañan a la gente.

Es posible, e incluso habitual, que una investigación tenga el aspecto de ciencia, incluso de buena ciencia, sin que en realidad lo sea. Los investigadores farsantes pueden usar un lenguaje científico y ofrecer asombrosas estadísticas sin haber diseñado estudios científicos capaces de distinguir

los hechos ciertos de los falsos. Por ejemplo, podrían afirmar: «La investigación demuestra que el compuesto XBY12, que se remonta a las curas utilizadas en culturas antiguas, duplica la eficacia del proceso de curación natural del cuerpo en nueve de cada diez casos». Pero no dicen cuál es su composición ni quién lo ha verificado y cómo. No especifican qué «culturas antiguas» lo usaban y con qué efectos demostrados. Los investigadores farsantes tampoco indican cómo se ha medido el «proceso de curación natural del cuerpo», en cuántos «casos» se ha probado y cómo se seleccionó a los individuos para el ensayo.

Algunos de estos mal llamados investigadores tienen títulos que la gente a menudo confunde con titulaciones científicas. Algunos alquimistas, sin ir más lejos, intentan transformar en oro metales como el hierro. Pero no hay que confundir a los «alquimistas» con los «químicos», los científicos que estudian las formas en las que los elementos de la Tierra interactúan entre sí. Ni tampoco hay que confundir a los «astrólogos», que parten de la posición de las estrellas y planetas para «predecir» sucesos en la vida de las personas, con los «astrónomos», científicos que estudian la formación, composición y movimiento de los planetas, estrellas y otros cuerpos celestes.

Una parte de esta «ciencia en las tinieblas» puede incluso provocar algo peor que una simple confusión: ser drásticamente perjudicial. Los horóscopos en las columnas de astrología, por ejemplo, pueden ser entretenidos de leer, pero la cuestión puede ser muy grave si decides que van a influir en tu cita del sábado por la noche, o incluso peor, en la elección de una carrera universitaria. Clasificar a las personas en términos de sus supuestos rasgos astrológicos no difiere de clasificarlas en términos de estereotipos raciales o de género. Ni que decir tiene que una vez identificada la «ciencia farsante» como lo que es en realidad, puedes leer tranquilamente un horóscopo o tu «futuro» en el poso del café como mera diversión.

¡Olvídalo!

Es probable que hayas oído hablar de los premios Nobel, que reconocen el trabajo de grandes científicos y otros estudiosos consagrados a los intereses de la Humanidad. Pero ¿qué decir de los premios Nobel In? Patrocinados por la publicación Annals of Improbable Research (AIR), estos galardones cómicos reconocen el trabajo que «no se puede o no se debería reproducir». «In» deriva de «innoble», inferior, poco importante. Los Nobel In premian la «ciencia estúpida», fomentando el interés por la verdadera investigación científica.

Creada en 1991, AIR otorga diez premios cada año, casi siempre presentados por los ganadores actuales de los Premios Nobel. Veamos a continuación algunos de los proyectos de «ciencia» acreedores de los Nobel In a lo largo de estos años.

El japonés **Chonosuke Okamura** ganó el premio a la biodiversidad descubriendo lo que según él eran «fósiles» de más de mil miniespecies extintas. Cada uno de ellos mide menos de 0,3 cm de longitud. La afirmación más famosa de Okamura es haber descubierto el fósil de un «mini-hombre» del tamaño de una hormiga que vivía en una casita y que hacía platos de porcelana. Sin duda alguna estaría «viendo» lo que sus ojos querían ver.

Los noruegos **Anders Baerheim** y **Hogne Sandvic** ganaron un premio de biología por el estudio de cómo la cerveza, el ajo y la leche agria afectaban al apetito de las babosas. ¿Individualmente o en una increíble mezcla? Por otro lado, teniendo en cuenta de que a las babosas no les gusta ninguno de estos alimentos, ¿cuál era la finalidad de la investigación?

El veterinario norteamericano **Robert A. López** recibió un premio de entomología por sus experimentos con piojos que infectan los oídos de los gatos. Para ello, extrajo algunos ejemplares de uno de sus propios oídos para observar su comportamiento. En cualquier caso, ¿qué tenía que ver el oído de un gato con el del Dr. López?

◆ ◆ ◆

Cuanto más pienses en las beneficios de la buena ciencia y en los peligros de la mala, más desearás ser capaz de diferenciarlas. Sigue leyendo y aprenderás muchas cosas en los recuadros de «¡Tonterías!» de este libro. No tardarás en conseguirlo. Pero antes, usa la siguiente lista de recordatorio para revisar las características generales de la buena ciencia (la mala ciencia comparte muy pocas o ninguna de ellas). Estas características se aplican a proyectos de investigación de gran y pequeña envergadura por un igual, incluyendo los que podrías realizar tú mismo en la escuela, en la clase de ciencias.

Lista de recordatorio de la buena ciencia

✓ La ciencia se basa en teorías, es decir, en explicaciones lógicas derivadas de hechos científicos.

✓ La ciencia depende de experimentos, observaciones precisas y, en lo posible, de medidas para verificar las teorías.

✓ La ciencia es repetible. Un investigador llega al mismo resultado cada vez que realiza el mismo experimento, y otros científicos obtienen resultados similares al repetirlos.

✓ La ciencia evoluciona. Mediante la experimentación y el descubrimiento, los investigadores sustituyen observaciones y teorías pasadas por otras nuevas y revisadas. Este método científico es el corazón de la ciencia.

✓ La ciencia insiste en que los experimentos y resultados se publiquen en revistas científicas en las que los árbitros los someten a ensayo y otros científicos pueden aprender de ellos.

2 Observación científica

L a observación científica consiste en formular innumerables preguntas acerca de quién está investigando, cómo lo hace y por qué lo hace, pero ante todo deberás familiarizarte con las secciones «Impulsores del despropósito» de este capítulo. Te ayudarán a:

DESAFIAR la investigación que diseñan y realizan los científicos,

ANALIZAR el proceso de investigación que utilizan para obtener un resultado, y

PREGUNTAR acerca de las conclusiones a las que han llegado.

Por supuesto que puedes hacer más preguntas, pero éstas podrías considerarlas como un kit inicial que puedes usar cada vez que caiga en tus manos una información científica. ¿Responde a todas ellas? De no ser así, podrías dirigirte al medio que ha informado de la investigación, y si es posible, a los propios científicos. La forma más fácil de hacerlo es por e-mail e Internet. Si no consigues respuestas claras o la información que buscas no parece estar ahí, es preferible no fiarse de la investigación.

Desafiar la investigación

Todo el mundo, desde tu mamá hasta el empleado de la heladería, cuenta historias acerca del método del primo Pepe para encontrar agua subterránea, cómo se viste con una estridente chaqueta roja y botas de goma amarillas mientras silba «Susanita tiene un ratón» y camina pasito a paso con una percha en las manos. Estas historias bien podrían sugerir un tema de investigación, pero lo cierto es que no existe ninguna evidencia que apoye el método de búsqueda de agua del primo Pepe. Por ejemplo, no nos dice si otras personas pueden o no hacer lo mismo y encontrar agua, cuántas veces ha fracasado en su intento (como cualquier otra persona, es más probable que recuerde los éxitos que los fracasos), y cuántos de estos éxitos fueron fruto de la casualidad. Para saberlo, se necesitan científicos cualificados que diseñen y realicen una investigación seria. Asegúrate siempre de que ha mediado su intervención antes de dar por válida una información.

¡ESTATE ALERTA! 1 · *El sombrero equivocado*

Llevas años acudiendo a la consulta del Dr. Sincaries, un excelente dentista. Examina tus dientes, empasta las caries y te receta tratamientos a base de flúor. Un día te sugiere probar una nueva pasta dentífrica llamada SmileRite. Te da un tubo, y también a otros cuatro pacientes, indicando que debes volver a visitarlo transcurridos seis meses para realizar un nuevo examen y comprobar los efectos de este producto en la conservación de la dentición.

El problema es que ser dentista es muy diferente a ser un investigador en higiene bucal. Al igual que la mayoría de la gente, el Dr. Sincaries tiene poca experiencia en métodos de investigación. Por ejemplo, no sabe cómo diseñar un experimento, cuántas personas deben participar en la muestra, cómo analizar los resultados o cómo compararlos. Y lo que es más importante, cuando alguien como el Dr. Sincaries realiza una investigación, incluso sobre cuestiones estrechamente relacionadas con su campo, es muy probable que no sea consciente de los errores que está cometiendo.

PREGUNTA SIEMPRE
¿Dónde se formaron en investigación los científicos?

¡ESTATE 2 ALERTA! El poder de la información

¿Qué piensas cuando oyes que una compañía de caramelos está realizando una investigación sobre las caries dentales, o que una asociación de granjeros de árboles frutales ha encargado un estudio sobre las cualidades nutritivas de las ciruelas? Sospechoso, ¿verdad? En efecto, si los científicos no tienen cuidado, corren el riesgo de dejarse influir por la compañía o la asociación que los paga. Piensa en la presión a la que están sometidos los investigadores que están haciendo ensayos en el laboratorio para demostrar que un nuevo tipo de caramelo no contribuye a la aparición de caries o que las ciruelas son asombrosamente nutritivas. En realidad, la deformación en los resultados no es intencionada, sino que es fruto de la presión social a la que están sujetos los científicos, que puede fácilmente inducir a errores que sesgan el resultado final.

«En mis años como editor de ciencia, la trampa que más me ha preocupado es la de los científicos que se consideran a sí mismos abogados de uno u otro punto de vista.»

Richard Flaste, editor de ciencia

A medida que gobiernos y universidades destinan cada vez menos fondos a la investigación, los científicos se ven obligados a recurrir a compañías y asociaciones para ganarse la vida. Desde luego, no sería justo considerar inválida toda investigación realizada por alguien interesado en los resultados, pero tienes el derecho de conocer quién la financia y saber qué medidas tomaron los científicos para evitar que los resultados no estuvieran influenciados por la opinión de quienes asumen los costes.

PREGUNTA SIEMPRE
¿Quién financió la investigación? ¿Podría haber estado influida por su punto de vista?

Sobre todo ten mucho cuidado con los científicos que se han convertido en la «voz y la imagen» de una empresa o de una causa determinada. A menudo reciben una compensación económica por promocionar puntos de vista particulares y criticar cualquier trabajo que se muestre en desacuerdo con la línea empresarial oficial. A los científicos empleados por un fabricante de tabaco, por ejemplo, podría resultarles difícil mostrarse objetivos acerca de una investigación que demostrara que la nicotina en los cigarrillos crea adicción.

¡ESTATE ALERTA! 3 — Publicada o no, la basura siempre será basura

Para aliviar el tedio estival, tu hermano y su amigo están escribiendo *El Noticiario del vecindario*, un folleto de una sola página que cuenta lo que hace cada cual en el barrio. Así por ejemplo informan de que las moras que cultiva el Sr. Frutasana son estupendas para el tratamiento sintomático del resfriado. Desde luego, no se puede decir que *El Noticiario del vecindario* sea una fuente fiable, pero a decir verdad, si lees algo acerca de las moras como tratamiento del resfriado en un periódico, revista o página Web, podrías estar tentado de probarlo.

Las fuentes populares de información publican ciencia buena y ciencia mala. Antes de decidirte por este tratamiento, es aconsejable enterarse de si se ha realizado alguna investigación al respecto y se ha publicado en una revista científica. Entonces sabrás si los ensayos han sido filtrados por un equipo de investigadores y han reunido los requisitos establecidos por la revista. Ni que decir tiene que algunas publicaciones son más cuidadosas y exigentes que otras, pero su objetivo es el mismo: defender al consumidor contra la mala ciencia, de manera que su factor fiabilidad es muy superior al de los periódicos, revistas populares y páginas de Internet. Y lo más importante es que muchas revistas científicas, incluyendo las médicas, exigen a los investigadores que revelen cualquier implicación con empresas o personas especialmente interesadas en los resultados de los estudios.

PREGUNTA SIEMPRE
¿Se publicó la investigación en una revista científica?

Ojo con el ratón médico

¿Enfermo? ¿Preocupado? ¿Buscas un tratamiento que te cure? Unos cuantos clics en el teclado pueden darte una respuesta. Hasta aquí, todo bien. Pero lo que realmente importa es otra cuestión. Las páginas Web de medicina (alrededor de 100.000) ofrecen una amplísima gama de información sobre patologías, terapias, fármacos, etc., pero muchos sitios son confusos o incluso simple y llanamente fraudulentos.

Cualquiera puede editar información en Internet y hacer afirmaciones gratuitas. Nadie revisa su contenido. Páginas repletas de dudosa información pueden parecer indiscutiblemente científicas, de manera que puede ser realmente difícil distinguir las buenas de las malas. Por lo menos, comprueba si el sitio en cuestión ofrece datos actualizados respaldados por una investigación científica. Intenta descubrir a quién pertenece la página y quién facilita la información, y luego verifica su reputación en *websites* de filtrado tales como Quackwatch.

http://www.quackwatch.com

¡ESTATE ALERTA! 4

Aun así, es válido

Podrías dar por sentado que los investigadores saben lo que están estudiando, cuando en realidad no siempre es así. Veamos a la geóloga Georgia. Quiere investigar las inundaciones, cómo y dónde se producen y cuáles son sus causas, pero no tiene una idea demasiado clara del significado de «inundación». ¿Es simplemente agua que se extiende sobre determinadas superficies de tierra? ¿Es una inundación si la crecida dura sólo una hora? ¿Sigue siendo una inundación si la invasión de agua no causa daños, sino todo lo contrario, como en el caso de un arrozal?

Georgia no tiene por qué concebir una definición absoluta acerca de esta cuestión. Basta con que sea clara y coherente en relación con lo que está estudiando. De lo contrario, ¿qué utilidad tendrían sus observaciones y conclusiones?

Mucho más fácil lo tienen los investigadores contratados por tu escuela para estudiar el elevado índice de absentismo injustificado en el distrito. Empezaron definiendo «absentismo» como «un mínimo de dos horas de ausencia de las clases sin un justificante por escrito dirigido al director del centro y firmado por el padre o tutor del alumno». Una definición de esta índole constituye uno de los primeros pasos en el planteamiento de un estudio de calidad.

> **PREGUNTA SIEMPRE**
> ¿Los investigadores definieron con claridad el objeto de estudio?

Tu turno

Incluso algo tan «obvio» como los muertos en accidente de tráfico necesita ser definido antes de poder ser investigado. Averigua cómo definen este tipo de decesos el Ministerio de Salud, el departamento de tráfico, los departamentos de policía locales, regionales y nacionales, y las compañías de seguros. ¿Se refieren algunas de ellas sólo a las víctimas que han fallecido en la carretera, mientras que otras también tienen en cuenta los fallecidos en hospitales en el período de una semana, un mes o un año? ¿Y qué decir de las personas que han sufrido un accidente de circulación que fallecen más tarde de infarto o neumonía? Si un helicóptero se estrella en una autopista, ¿sus ocupantes se cuentan como víctimas en un accidente de tráfico? Imagina la confusión si al comparar las cifras de muertos en carretera de dos ciudades los investigadores dependieran de informes de la policía local redactados sobre la base de definiciones diferentes.

¡ESTATE 5 ALERTA!

Bueno..., y ¿qué es «todo»?

Es imposible estudiar todos los elefantes del mundo ni todos los pantalones vaqueros en una fábrica. De ahí que los científicos seleccionen algunos elefantes y vaqueros para someterlos a ensayo y que luego utilicen los resultados para emitir un juicio. Los ejemplares seleccionados (la muestra) se eligen entre todos los elefantes o pantalones disponibles (la población).

Primero, los investigadores deben decidir exactamente qué población van a estudiar. Imaginemos que tienen entre manos un estudio sobre elefantes. Hay dos especies en el mundo: el africano, de grandes orejas, y el asiático, de pabellones más pequeños. ¿Se referirá la investigación a los elefantes de ambas especies? ¿Sólo a los asiáticos? ¿Sólo a los asiáticos que viven en libertad? ¿O sólo a los elefantes asiáticos machos de más de cinco años? ¿Captas la idea? Si los científicos no tienen demasiado claro cuál es la población en la que centrarán su atención, les resultará imposible seleccionar una muestra representativa.

PREGUNTA SIEMPRE
¿Qué población se ha investigado exactamente?

¡ESTATE ALERTA! 6

¿Sesgo o no sesgo?

Los buenos investigadores utilizan muestras que permiten la selección de cualquier individuo de la población. A menudo usan ordenadores para definir las muestras aleatoriamente de entre diferentes listas. Una muestra aleatoria de todos los elefantes asiáticos, por ejemplo, incluiría a los que viven en libertad, en reservas y parques zoológicos.

Las muestras que no representan la población se llaman «sesgadas». Supón que los investigadores sólo estudiaran los elefantes asiáticos adiestrados para el trabajo (arrastre de troncos de árbol, etc.). Los resultados mostrarían que casi todos ellos son capaces de comprender órdenes: «Levántate», «sujeta», «siéntate», «adelante», «atrás», etc., lo cual por supuesto no es cierto en el caso de todos los elefantes asiáticos. Pero las muestras sesgadas no suelen ser tan evidentes. Por ejemplo, si una muestra se tomó cuando un nuevo grupo de elefantes llegó a una reserva para su adiestramiento, los investigadores podrían concluir, equivocadamente, que los elefantes asiáticos son incapaces de comprender órdenes.

Pero los problemas de muestreo no terminan aquí. Así, por ejemplo, para someter a test un nuevo tratamiento para el resfriado no es posible seleccionar una muestra aleatoria de personas «que se sorben la nariz» y obligarlos a participar. Es probable que muchos de ellos no estén en condición de levantarse de la cama, y los voluntarios para el estudio podrían haberse resfriado ya nueve veces en lo que va de año y sentirse absolutamente desesperados por encontrar un remedio eficaz, lo cual puede sesgar los resultados del test.

También se debería andar con tiento ante las encuestas

que usan muestras autoseleccionadas, tales como las que se publican en los periódicos y sugieren a los lectores que envíen su opinión. Estas muestras son casi siempre sesgadas, pues sólo incluyen a personas lo bastante apasionadas por el tema como para responder, y por supuesto sólo los que leen aquel periódico. Si un rotativo realiza una encuesta pública para determinar si los gatos deberían ir sujetos con una correa por la calle, los dueños de estos mininos pondrían el grito en el cielo. Pero esas mismas personas podrían ignorar toda posibilidad de respuesta a una encuesta sobre la prohibición del voley-playa.

PREGUNTA SIEMPRE
¿La muestra representaba a la población?

¡ESTATE ALERTA! *Cuestión de tamaño*

Si examinas sólo uno, dos o tres pares de vaqueros en una fábrica, poco podrás decir de la calidad general del producto que se produce en ella. Así pues, ¿cuántos pantalones deberías examinar? Es una pregunta capciosa, ya que no existen reglas estrictas acerca del tamaño de una muestra. En cualquier caso, cuanto mayor, mejor, sobre todo cuando los elementos sometidos a ensayo puedan variar considerablemente.

PREGUNTA SIEMPRE
¿La muestra era lo bastante grande?

La resistencia y la solidez del color de unos vaqueros en una gran muestra son probablemente representativas de la resistencia y la solidez del color de todos los que se fabrican en la planta.

Recela de los estudios basados en muestras muy pequeñas. En el mejor de los casos podrían sugerir un foco de atención para ulteriores investigaciones, pero nada más.

Tu turno

«¿Cuánta madera podría vomitar una marmota si las marmotas vomitaran madera?» Para abordar este trabalenguas,* dos investigadores de la Harvard Medical School encerraron a doce marmotas macho adultas en una jaula y las alimentaron con madera durante dos semanas. ¿La conclusión? «La *Marmota monax* es capaz de vomitar $361,9237001 \text{ cm}^3$ de madera diarios.» A partir de esta información, elige la afirmación o afirmaciones con las que estás de acuerdo:

(a) El tamaño de la muestra es demasiado pequeño.

(b) La muestra no incluye marmotas hembra y jóvenes, que tal vez no ingieran madera o que podrían hacerlo en cantidades diferentes a las de los machos adultos.

(c) Algunos científicos tienen sentido del humor.

(d) Todo lo anterior.

(Véase «Soluciones» en p. 107.)

* How much wood could a woodchuck chuck if a woodchuck would chuck wood?

¡ESTATE ALERTA! 8

Grupos de control

Imagina que oyes decir que las personas que usan la crema facial Clear-It-Up tienen un 50% menos de espinillas. «¿Que quién?», podrías preguntar. Los investigadores incompetentes no sabrían qué responder, pero los buenos científicos habrían sometido a test a un grupo de control, es decir, individuos similares en edad, género, estilo de vida, etc. Sin saberlo, es posible que estos sujetos de control hubieran estado utilizando una crema Clear-It-Up sin contenido farmacológico. En tal caso, si los individuos del test tuvieran el 50% menos de espinillas que los sujetos de control, los investigadores podrían decir que la diferencia podría estar relacionada con la medicación en la crema.

PREGUNTA SIEMPRE
¿Se utilizó un grupo de control?

Los grupos de control son necesarios para muchos tipos de investigación, aunque no se suelen utilizar tan a menudo como se debería. Ésta es la razón por la que los curanderos aseguran (y engañan) contar con un elevado índice de éxitos en su tratamiento. El Dr. Farsante puede afirmar que cura al 75% de sus pacientes con jaqueca frotándoles el pelo, pero sin un estudio adecuado y un grupo de control no será capaz de demostrar que su tratamiento es mejor que cualquier otro, o incluso que ningún tratamiento.

¡ESTATE ALERTA! 9

El escenario

¿Vas a dar una fiesta? ¡Estupendo! Invita a 2 «o» a 20 amigos, enciende la chimenea y prepara una selección de películas en vídeo «o» retira el mobiliario para bailar y pon música. El número de personas que acudan a la fiesta, el entorno y las actividades que hayas organizado determinarán el tipo de fiesta.

Establecer el escenario para la investigación también influye en el resultado. Las ratas encerradas en una habitación a oscuras y luego expuestas bruscamente a una potente iluminación, por ejemplo, encontrarán la salida de un laberinto de un modo diferente a las que se hallan en una habitación permanentemente iluminada. Y las personas examinadas según su respuesta a la música pueden reaccionar de una manera distinta dependiendo de si hay o no ruido de fondo. El diseño cuidadoso y el control de las condiciones del estudio ayudan a los investigadores a conseguir resultados más precisos.

PREGUNTA SIEMPRE
¿Las condiciones del estudio afectaron a los resultados?

¡ESTATE 10s ALERTA! *Sugestión*

Un investigador puede alterar los resultados de un ensayo indicando a los individuos lo que se espera de ellos. Supongamos que la Srta. Susie Científica está investigando los efectos de comer zanahorias en el desayuno. Si sugiere a los participantes que informen acerca de los efectos secundarios, tales como tener mucha sed, probablemente «se sentirán» sedientos. Basta la su-

Ilumina tu trabajo..., ¿o tu vida?

Algo extraño estaba sucediendo en una fábrica en la que un equipo de científicos estudiaba los efectos de los niveles de luz. Cuando aumentaban la potencia, la productividad de los trabajadores iba *in crescendo*, y a medida que la potencia se incrementaba más y más, tanto mayor era el ahínco en el desempeño de sus funciones. Pero cuando empezaban a bajar el nivel de luz, el ritmo de trabajo no disminuía..., sino que seguía aumentando. En realidad, no empezaba a reducirse hasta que la iluminación era tan tenue que apenas podían ver.

Finalmente, los científicos descubrieron que los trabajadores habían estado respondiendo no a los cambios en la luminosidad, sino al índice extra de atención demostrada a lo largo del estudio.

Tu turno

¿Eres capaz de influir en el comportamiento de la gente sólo con la voz? Pon unas cuantas pasas de Corinto en dos cuencos y pasa uno diciendo: «Prueba estas pasas». Luego pasa el segundo y repite lo mismo, pero esta vez haciendo una ligera mueca al decir «estas». Es posible que tus amigos no se muestren tan dispuestos a probar las del segundo cuenco.

gestión de que comer zanahorias en el desayuno aumenta la sed para que algunos individuos experimenten la necesidad de beber.

Incluso las pistas sutiles, como una ceja arqueada, una mueca o un cambio en el tono de voz, pueden influir en los resultados de un estudio. Si Susie está investigando unas píldoras de color rosa para el dolor, también podría dar a los individuos de la muestra píldoras amarillas que carecen de efecto. La menor indicación (pista) por su parte de que las píldoras amarillas son falsas puede influir en la reacción de las personas a ambos tipos de píldora. Susie haría bien en utilizar un ayudante, alguien que no sabe absolutamente nada de las píldoras, para que las distribuyera y recogiera información acerca de sus efectos. En una investigación (esto se llama «técnica de doble ciego»), ni el ayudante ni el individuo conocen lo que se espera del experimento.

PREGUNTA SIEMPRE
¿Pudo darse el caso de que los investigadores influyeran en los resultados?

¡ESTATE ALERTA! 11 *Preguntas «preguntables»*

¿Has dejado de propinarle patadas a tu perro? Cualquiera que sea la respuesta, afirmativa o negativa, la percepción de crueldad será inevitable. Pero tal vez la verdad sea que no has maltratado a tu perro o que ni tan siquiera tengas uno. Cuando los investigadores formulan preguntas deficientes, las respuestas son inútiles. Y lo cierto es que existen muchos tipos de preguntas deficientes. Veamos algunas.

PREGUNTAS «IRRESPONDIBLES»: «¿Le gustan los vecinos a tu familia?». No puedes hablar por boca de todos los miembros de tu grupo familiar. Por otra parte, es posible que le gusten algunos vecinos, no todos.

PREGUNTAS VAGAS: «¿Crees que los jóvenes de hoy tienen muchas oportunidades?». Te preguntarás a qué tipo de jóvenes se refiere la pregunta, qué clase de oportunidades (educativas, de ocio, laborales, de viajar, etc.) y cuántas oportunidades hay que considerar «muchas»?

PREGUNTAS SESGADAS: «¿Estás de acuerdo con la idea del Papa de celebrar una conferencia mundial sobre el control armamentístico?». Tu respuesta podría estar influenciada por el hecho de saber que la idea procede de una persona famosa y poderosa.

PREGUNTAS DE ALTERNATIVA SILENCIOSA: «¿Crees que los empresarios que contratan a estudiantes en empleos a tiempo parcial y prescinden de sus servicios en la temporada baja deberían proporcionarles puestos de trabajo a tiempo parcial durante todo el año?». Si conoces la «alternativa silenciosa» podrías responder de otra forma: que los empresarios podrían pagar salarios más bajos para poder asumir los costes de estos empleos de todo el año.

PREGUNTA SIEMPRE
¿Se redactaron con cuidado las preguntas?

Formulando preguntas «preguntables»

¡ESTATE ALERTA! 12

Además de definir cuidadosamente las preguntas, los buenos investigadores evitan las preguntas deficientes en la fase de pre-test, probándolas en una muestra de personas similares a los individuos del test. A continuación, comentan las preguntas con los individuos que las respondieron. El objetivo es descubrir qué preguntas eran demasiado complejas, confusas o restrictivas. Esta información los ayuda a destacar las que deberán incluirse, modificarse, suprimirse o añadirse.

Veamos algunos ejemplos de preguntas antes del pre-test y los cambios que podrían derivarse. Desafortunadamente, los investigadores incompetentes casi nunca someten las preguntas a un ensayo previo, lo cual les impide detectar los problemas antes de que afecten a su estudio.

ANTES DEL PRE-TEST

¿Ves alguna vez partidos de fútbol y baloncesto en televisión?

Al igual que la mayoría de las personas de tu edad, ¿ves pocos documentales?

¿Cuánto tiempo sueles ver la televisión en una semana normal?

¿Qué impacto tiene la televisión en tu familia?

PROBLEMA

Combinación de las preguntas.

Sesgada.

Sin problemas.

Irrespondible.
Quien responde no puede decir cómo afecta la televisión a cada individuo.

DESPUÉS DEL TEST

¿Ves alguna vez partidos de fútbol en televisión?

¿Ves alguna vez partidos de baloncesto en televisión?

¿Con qué frecuencia ves documentales en la televisión?
- Con mucha frecuencia
- De vez en cuando
- Casi nunca
- Nunca

No requiere cambios.

Suprime la pregunta.

PREGUNTA SIEMPRE
¿Se sometieron a un pre-test las preguntas?

Tu turno

Diseña tu propia pregunta de pre-test. Formula a algunos de tus amigos la pregunta irrespondible de «¡Estate alerta! n.° 11», y comprueba qué tipos de respuestas obtienes. Luego pregúntales por qué les resultó tan difícil responder.

¡ESTATE ALERTA! 13

Medias verdades

Recopila la mitad de los datos y obtendrás la mitad de la historia. A partir de los informes de accidentes recibidos en una compañía de seguros, un estudio sobre las colisiones de automóviles puede decantarse más hacia los conductores en la posadolescencia que hacia los de mediana edad. Pero ¿reúne todos los datos necesarios el estudio? A diferencia de los posadolescentes, a menudo los conductores de mediana edad pueden asumir el coste de las reparaciones y preferir no dar parte para evitar el incremento en la prima del seguro. Un estudio de colisiones de automóviles debería ir más allá de los informes de las aseguradoras para completar el resto de la historia.

Incluso cuando los investigadores se esfuerzan por reseguir toda la información que necesitan, siempre hay algo importante que pueden pasar por alto. Piensa en cómo puede haber influido un individuo en un estudio dietético al referir que apenas ha perdido peso a pesar de haberse alimentado única y exclusivamente de huevos hervidos y café durante varias semanas, y al seguir indagando, descubrir que «¡Ay!, olvidé decir que echo un par de azucarillos al café», y «Por cierto, me tomo sesenta tazas diarias...»

PREGUNTA SIEMPRE
¿Eran completos los datos?

Tu turno

Supón que quieres comparar los índices de seguridad de los automóviles de los alumnos que han estudiado en la Escuela de Conducir El Parachoques con los de la Escuela El Volante. Comparas las estadísticas y constatas que, transcurrido un año, el número de accidentes de los de la Escuela El Volante es el doble que los de la Escuela El Parachoques. ¿Puedes asegurar que los alumnos de la Escuela El Parachoques son más seguros?

Si descubrieras que los alumnos de la Escuela El Volante circulaban al doble de velocidad y durante el doble de tormentas de nieve que los de la Escuela El Parachoques durante el mismo período de tiempo, ¿cambiarías de opinión?

¡ESTATE ALERTA! 14

Los deseos no siempre se hacen realidad

Los deseos no suelen hacerse realidad demasiado a menudo, pero en investigación, a veces influyen en los resultados. Los científicos son humanos, y como tales podrían ignorar inintencionadamente datos que no apoyan sus teorías o prestar más atención a otros que sí lo hacen. Con frecuencia, los investigadores farsantes lo hacen a propósito, un error conocido como «arrastre de datos».

Los investigadores que creen que los sueños pueden predecir el futuro, por ejemplo, pueden centrarse en los escasos sueños que casualmente «se hacen realidad», ignorando los demás. Veamos un ejemplo. Si encuentras un caniche perdido en el jardín algunos meses después de haber soñado que jugabas con un cachorrito de pelo ensortijado debajo de un árbol, el investigador «onírico» podría decir: «¿No te lo dije?», cuando en realidad no está diciendo nada en relación con otro sueño en el que tratabas de escapar de un edificio en llamas y otros cientos de sueños cuyas predicciones no se han cumplido.

PREGUNTA SIEMPRE
¿Se estudiaron los datos con imparcialidad?

¿Ves lo mismo que yo veo?

Ocho años después del descubrimiento de los rayos-X en 1895, el físico francés Prosper René Blondlot aseguró haber descubierto, a su vez, una radiación invisible llamada rayos-N, que iluminaban un haz de luz eléctrica que pasara a través de los mismos.

Con la ayuda de un visor especial ensamblado en un prisma de aluminio, Blondlot afirmaba ser capaz de desviar los rayos-N y producir un espectro, de un modo similar a un prisma de cristal, que desvía la luz y produce bandas cromáticas. Algunos colegas de Blondlot en Francia corroboraron los resultados.

Pero entonces entró en escena el receloso físico norteamericano Robert Wood, el cual, junto con otros científicos no franceses, había fracasado en su intento de identificar los llamados rayos-N utilizando los métodos de Blondlot, de manera que decidió visitarlo en su laboratorio para asistir a una demostración. Blondlot dispuso el visor en una habitación a oscuras y empezó a describir lo que estaba «observando». Pero Wood no conseguía ver nada de cuanto le estaba contando Blondlot y retiró sigilosamente el prisma. Blondlot siguió describiendo el espectro. Tras la publicación de los resultados de su visita, la noción de rayos-N se sumió en el olvido.

Analizar el análisis

Los científicos calculan cifras llamadas «estadísticas» para describir y analizar las conclusiones de sus investigaciones. El problema es que las estadísticas, incluso las más simples, tales como las medias, se pueden manipular en favor de un determinado resultado. No hace falta ser estadístico o matemático de cualquier otro tipo para interrogar a un científico sobre un análisis que acaba de realizar. Basta diseñar las preguntas adecuadas.

Algunas estafas hacen rico

«¡Elige el sexo de tu hijo! Compra Píldoras de Chico o Píldoras de Chica por sólo 50 dólares. Resultados garantizados o te devolvemos el dinero.» El clásico anuncio que puede cautivar a quienes no tienen la menor idea de estadística.

La probabilidad de que un niño nazca varón o mujer es similar, de manera que no hace falta ningún tipo de píldora. Como ya habrás adivinado, el ingenioso comerciante se queda invariablemente con la mitad del dinero recibido, simplemente para cubrir los gastos de publicidad y de algunas píldoras inútiles de puro azúcar. ¡Vaya negocio!

¿Promedio? ¿Media? ¿Mediana? ¿Modo? ¡Vaya lío!

No existe sólo una forma de describir un promedio, sino tres.

MEDIA ARITMÉTICA: Es la suma de todas las cifras dividida por el número de cifras.

MEDIANA: Es el punto medio. Cuando las cifras se listan por orden de valor, la mitad están encima o debajo del punto medio y la otra mitad, también encima o debajo. Si el número de cifras es par, la mediana es la media aritmética de las dos cifras intermedias.

MODO: De todas las cifras en una lista, es la más frecuente.

Supongamos que el Ratoncito Heriberto está aprendiendo a recorrer los pasillos de un laberinto para escapar. Sobre diez intentos los resultados obtenidos han sido los siguientes:

Carrera 1 : 3   Carrera 2 : 4   Carrera 3 : 5   Carrera 4 : 3   Carrera 5 : 10

Rápidamente puedes calcular el modo, es decir, la cifra más frecuente: 3. Y es fácil calcular la mediana de nuestro ratón, o sea, el punto medio. Primero relaciona todos los resultados por orden de valor:

Carrera 1 : 3   Carrera 4 : 3   Carrera 2 : 4   Carrera 3 : 5   Carrera 5 : 10

Ahora elige el resultado intermedio: 4. Tanto el modo (3) como la mediana (4) ofrecen un promedio desalentador. Pero ¿qué ocurre si calculas la media aritmética? Suma los resultados (25), divídelo por el número de resultados (5) y obtendrás 5, un promedio aceptable. Si los investigadores se empeñan en que el Ratonci-

¿Has oído alguna vez el chiste de los tiburones que estudiaron estadística? Uno se sumergió y falló el mordisco a un bañista por 30 cm a la derecha. El otro hizo lo mismo y falló por 30 cm a la izquierda. «¡Yujuu!», exclamaron. «Hemos cenado bañista.»

to Heriberto presente un buen expediente, sólo informarán de la media aritmética, sin mencionar la mediana ni el modo.

En un segundo grupo de ensayos, los mismos investigadores, que siguen intentando impresionarte con la inteligencia de Heriberto, podrían informar solamente de la mediana. Supongamos que los resultados han sido éstos:

Carrera 6: 1   Carrera 7: 1   Carrera 8: 5   Carrera 9: 6   Carrera 10: 7

El modo (1) y la media aritmética (20 : 5 = 4) son promedios deprimentes, pero la mediana (5) parece aceptable. En esta serie de experimentos, los investigadores podrían informar sólo de la mediana.

PREGUNTA SIEMPRE
¿Se informó de todos los promedios?

Para hacerse una idea lo más clara posible de los resultados de un estudio, es recomendable tomar en consideración todos los promedios: media, mediana y modo.

Tu turno   **Llegas** a casa con las notas de la escuela y te tiemblan las rodillas. La de matemáticas arruina el promedio, más concretamente la media aritmética (69 %). Observa las calificaciones y comprueba cómo mejoran tus «resultados» globales si enuncias el promedio sólo como la mediana.

(Véase «Soluciones», p. 107.)

Inglés: 86 %
Francés: 82 %
Ciencias
    sociales: 80 %
Biología: 70 %
Matemáticas: 28 %

¡ESTATE 16 ALERTA!

El ranking no lo es todo

Podrías sentirte impresionado si el profesor te dice que tu nota en historia estaba en el percentil 95 de todas las notas de historia de la clase. O lo que es lo mismo, que las calificaciones en historia de todos los demás alumnos eran iguales o inferiores a las tuyas. Pero no te impresionaría tanto si supieras que todas aquellas notas en historia, incluida la tuya, eran inferiores a «C». Éste es el problema de los percentiles, que al igual que las medianas, percentiles 50, no dan una idea del valor de cada uno de ellos.

Los investigadores que informan de los resultados de sus estudios en términos de percentiles podrían estar intentando ponerte una venda en los ojos. Supongamos que un estudio de la calidad del agua de diez lagos ha revelado que el de tu localidad, el Lago Turbio, figura en el percentil 90. Estupendo, ¿no te parece? Pero si ocho de los lagos estuvieran por debajo de los estándares aceptables, tal vez no deberías planificar un verano en el lago Turbio. En este caso deberías averiguar cuánto más arriba está situado en el ranking que los lagos restantes.

PREGUNTA SIEMPRE ¿Se ocultaron los resultados en percentiles?

Tu turno

Tu amiga Beth está intentando convencer a sus padres de que le aumenten su asignación semanal. Ayúdala a elaborar un informe de la asignación semanal en forma de percentil de las asignaciones que reciben ella y otros nueve amigos, aun teniendo en cuenta que la diferencia en las cantidades es mínima. ¿A qué percentil pertenece la asignación de Beth?

	Asignación semanal
Jana	$15,00
Tomás	$15,00
Carlos	$15,00
Sara	$15,00
Manuel	$15,00
Andrés	$15,00
Esteban	$15,00
Beth	$14,50
Tú	$14,50
Miguel	$14,00

(Véase «Soluciones», p. 107.)

¡ESTATE ALERTA! 17

Falsa ilusión

Los resultados de una investigación con varios decimales, como 2,90763, pueden parecer muy precisos, incluso espectaculares. De ahí que algunos investigadores procuren que sus estudios parezcan más precisos de lo que realmente son calculando más decimales de los que merece la cifra. Si el dato consiste sólo en estimaciones aproximadas, los cálculos precisos son una verdadera tontería. Podrías medir aproximadamente la longitud (de hocico a cola) de tres perros (86, 96 y 110 cm) y decir que su longitud media es de 97,33333 cm.

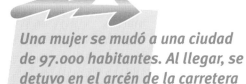

Una mujer se mudó a una ciudad de 97.000 habitantes. Al llegar, se detuvo en el arcén de la carretera y corrigió los datos del rótulo: «Población: 97.001».

Supón que en un estudio de las ventas de tablas de skateboard en tu localidad los directores de las cinco tiendas estimaron sus ventas en 12, 5, 20, 10 y 2 tablas mensuales. Concluir que la media de ventas mensuales por tienda era de 9,8 unidades no se ajusta a la realidad, es impreciso, ya que las cifras de ventas sólo eran aproximaciones. Los resultados de un estudio nunca pueden ser más exactas que los datos que contienen.

También puede plantear problemas la conversión de medidas métricas en imperiales (anglosajonas) o viceversa. Si un número se ha redondeado, pongamos por caso a una milla, carece de sentido convertirlo a 1,609 kilómetros. Mejor sería decir «alrededor de 1,5 kilómetros».

PREGUNTA SIEMPRE
¿Los datos eran tan precisos como los cálculos?

Durante años, en los países anglosajones, se consideraba que la temperatura normal del cuerpo humano era de 98,6° Farenheit, o próxima a esa medida. Pero tras analizar millones de temperaturas corporales de individuos sanos, aquella cifra se corrigió a 98,2°. ¿Por qué era imprecisa la primera cifra? Originariamente, la temperatura tenía que calcularse en grados Celsius (centígrados) y se redondeaba a 37°, pero el redondeo pasó a la historia cuando más tarde la cifra se convirtió en grados Farenheit.

¡ESTATE 18 ALERTA! Las coronas no hacen a los reyes

De vez en cuando, el físico T. D. Lee solía comer en un restaurante próximo a la Universidad de Columbia, Nueva York. El día antes de ganar un Premio Nobel en 1957, el gerente del restaurante colgó un cartel en la ventana: «Coma aquí, gane un Nobel». Te reirás, pero lo que hizo aquel gerente es un ejemplo de lo que en ocasiones hacen muchas personas, incluyendo a los investigadores poco fiables. Cuando descubren una relación entre dos cosas, dan por supuesto que una es una consecuencia de la otra.

Jorge se comió 10 kg de manzanas y una sola cereza en un solo día, y enfermó. Al día siguiente comió la misma cantidad de plátanos y una cereza, y también enfermó. El tercer día hizo lo mismo, esta vez con naranjas y una cereza, y volvió a enfermar. El Dr. Plis-Plas concluyó: «Tiene que haber sido la cereza».

Cuando los buenos científicos examinan una relación entre cosas («correlación»), verifican si un cambio en una de ellas suele acompañar a un cambio en otra. Imagina que llegaron a la conclusión de que la gente que comía perritos calientes de la Srta. Pepis sufre ataques de estornudos, y que cuanto más come, más estornuda. Podrían decir que existe una correlación entre comer perritos calientes de la Srta. Pepis y estornudar. Asimismo investigarían si aquella correlación dependía de algo que estuviera asociado tanto a estornudar como a comer los perritos. Pepinillos a la vinagreta, por ejemplo. Es posible que, si la gente no comiera pepinillos con sus perritos calientes, no existiera correlación alguna entre comer perritos calientes y estornudar.

Aun así, los investigadores no pueden concluir que los pepinillos a la vinagreta causan estornudos. Para ello, deberían estudiar mucho más y utilizar uno de los dos enfoques siguientes:

- Podrían buscar lo que tienen en común las cosas relacionadas con un suceso. Si un ácido determinado presente en los pepinillos

Va de vertidos

En 1829 mucha gente en Londres moría de cólera, una enfermedad que suele ir acompañada de una diarrea colosal. Un funcionario de la ciudad llamado William Farr estudió el problema sobre la base de la ocupación, ingresos y tipo de vivienda de los pacientes. El único nexo que descubrió con el cólera fue el siguiente: cuanto más cerca del río Támesis vivían, mayor era la incidencia de la enfermedad. Hasta aquí todo bien, exceptuando que Farr culpó al aire pestilente y contaminado que emanaba del río.

No fue hasta 1853 que el médico inglés John Snow descubrió algo más que correlacionaba el cólera y el río: los vertidos en el Támesis. Quienes vivían

cerca de las mayores concentraciones de vertidos consumían el agua más contaminada y corrían un mayor riesgo de contraer el cólera. Al mejorar el sistema de eliminación de aguas residuales, la enfermedad prácticamente desapareció de Londres.

«Se pueden utilizar estadísticas reales para verificar la práctica totalidad de las fábulas descabelladas acerca de los tornados», dijo Frank Wu, de la Universidad de Wisconsin. Incluso descubrió correlaciones entre el número de tornados y el de ventas de caravanas y cámaras de vídeo en diferentes estados norteamericanos.

también lo está en otros alimentos relacionados con estornudar, entonces el ácido podría ser la causa.

- O podrían examinar las diferencias entre las cosas asociadas a un evento. Supón que seleccionan dos grupos idénticos de pepinillos y otros alimentos relacionados con estornudar, pero que los de uno de ellos no contenía el ácido sospechoso. Si descubren un nexo entre estornudar y comer algo del grupo de alimentos que contienen este ácido, éste podría ser la causa.

PREGUNTA SIEMPRE
¿Se confundió causa y correlación?

En ambos casos, los investigadores también podrían optar por un análisis estadístico para averiguar si la «causa» podría ser producto del azar. Pero los científicos competentes nunca deberían confundir causa y correlación.

¿Has oído hablar del científico que experimentó con una mosca amaestrada? Le arrancó un par de patas y dijo: «Salta». La mosca saltó. Le arrancó un segundo par de patas y dijo: «Salta». La mosca saltó. Cuando le arrancó el último par de patas y dijo: «Salta», la mosca no se movió. El científico concluyó: «Cuando una mosca pierde todas las patas, se queda sorda».

Cuestionar las conclusiones

Una vez terminado un análisis, los científicos extraen conclusiones a partir de los resultados, o por lo menos esto es lo que se supone que deberían hacer. Sin embargo, algunos concluyen cosas que no reflejan realmente los descubrimientos de sus investigaciones. Ten pues muy en cuenta las secciones «¡Estate alerta!» y aplícalas.

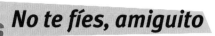

No te fíes, amiguito

Los buenos investigadores presentan sus resultados claramente y en su totalidad, y demuestran cómo han extraído las conclusiones. Pero no es infrecuente que los más incompetentes o incluso simple y llanamente farsantes oculten resultados para apoyar los aspectos que quieren demostrar. Supongamos que una encuesta realizada sobre una muestra de estudiantes de secundaria ha revelado los siguientes resultados:

- Un 6% calificó de extraordinario el champú Eternamente Brillante.
- Un 5% lo calificó de bueno.
- Un 36% dijo que era horrible.
- Un 53% nunca lo había usado.

Un investigador poco honrado podría informar que «Sólo a un 36% de los estudiantes encuestados no les gusta el champú Eternamente Brillante», dejando que el lector asuma que a los restantes les gusta.

¿Qué consecuencias podría tener este enfoque? Supón ahora que sólo uno de tus mejores amigos se lo pasó en grande en las pistas de esquí El Resbalón; que 6 nunca habían estado allí; y que a 3 no les gustó la experiencia. ¿Serías capaz de convencer a tus padres de que te dejaran ir asegurándoles que «Sólo a tres de mis diez amigos no les gustó El Resbalón»?

PREGUNTA SIEMPRE
¿Se manipularon los datos para forzar una conclusión?

Tu turno

Detestas la col, de manera que quieres convencer a tus amigos de que te dejen tirar a la basura la mayor parte de los cogollos que han recogido en el huerto. Observas las 10 coles que han traído y descubres que 6 han sufrido una plaga: escarabajos, hongos o ambos. Veamos el desglose:

- Coles sólo con plaga de escarabajos: 2.
- Coles sólo con plaga de hongos: 2.
- Coles con plaga de escarabajos y hongos: 2

Con un poco de astucia podrías hacer lo que en ocasiones los investigadores llaman «doble recuento». ¿Cómo podrías informar a tus padres de los daños para que llegaran a la conclusión de que debiste tirar 8 coles en lugar de sólo 6?

(Véase «Soluciones», p. 107.)

¡ESTATE ALERTA! 20

No te desvíes del camino

Analiza el agua y podrás extraer conclusiones acerca de ella, pero no de la leche, el zumo de naranja o el chocolate caliente. Los científicos cuidadosos las extraen sólo de la población o muestra que han estudiado. Si una muestra grande de ratas respondió comiendo más deprisa al sonido de Elvis Prestley cantando, los investigadores podrían concluir que otras ratas reaccionarán igual. Pero ¿podrían afirmar lo mismo de los conejos, los perros o las personas? Sus reacciones deberían ser analizadas individualmente en otros experimentos.

¿Has oído hablar de los investigadores que concluyeron que 3/4 partes de la población mundial había nacido en Francia? Encuestaron a 10.000 personas residentes en París.

PREGUNTA SIEMPRE
¿Se exageraron las conclusiones?

¡ESTATE ALERTA! 21

¿Se lo envuelvo en papel de regalo?

Algunos investigadores ilustran sus informes con gráficos que resumen sus descubrimientos y que aunque puede parecer que apoyan sus conclusiones, en realidad pueden llevar a confusión.

Por ejemplo, Gloria Gardener desarrolló un nuevo tipo de tomatera llamada Tomates Asombrosos, sometiéndolos a ensayo junto con otras dos clases de tomates: los Rosados y los Jugosos. Finalmente, plasmó los resultados en un gráfico.

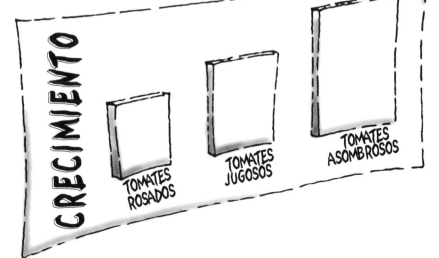

A primera vista, el gráfico da la impresión de corroborar la conclusión de Gloria, que dice que «Los Tomates Asombrosos son los que crecen mejor». Pero obsérvalo más detenidamente. El gráfico no da una idea del significado de «crecer» (velocidad de crecimiento, altura de las plantas, tamaño de los tomates, etc.). Ninguna cifra indica el tiempo, la altura ni el peso.

Fíjate ahora en los gráficos que trazó Ricardo Lumbrera. Seleccionará uno de ellos para su informe sobre el horario de comidas de los mapaches de Kualalumpur.

Tu turno

Observa los dos gráficos publicados en el periódico. Recórtalos junto con los artículos que ilustran y examínalos para comprobar si son claros y equitativos. ¿Qué harías para mejorarlos?

Aunque los dos gráficos muestran lo mismo, la diferencia entre ellos reside en el número de veces que se observó a los mapaches comiendo durante el día (15) y durante la noche (25), que parece ser mayor en el gráfico B. Esto se debe a que este gráfico está escalado en unidades de 1, mientras que el gráfico A lo está en unidades de 10.
Si Ricardo ha concluido que los mapaches se alimentan mucho más a menudo por la noche, es probable que decida incluir el gráfico B en su informe, pues apoya mejor su conclusión que el A.

PREGUNTA SIEMPRE
¿Resumían clara y equitativamente los gráficos los descubrimientos de la investigación?

◆ ◆ ◆

Ahora que has descubierto las diferentes formas de enfocar la investigación científica, analizar el proceso que conduce a los resultados y cómo se han extraído las conclusiones, estás en condiciones de distinguir entre la ciencia buena y la ciencia mala. Y recuerda, cuanto más observes la ciencia, mejor la comprenderás. Utiliza la siguiente lista de recordatorio, que resume lo que hemos aprendido hasta aquí:

Lista de recordatorio de «¡Estate alerta!»

DESAFIAR LA INVESTIGACIÓN

1. ¿Dónde se formaron en investigación los científicos?
2. ¿Quién financió la investigación? ¿Podría haber estado influida por su punto de vista?
3. ¿Se publicó la investigación en una revista científica?
4. ¿Los investigadores definieron con claridad el objeto de estudio?
5. ¿Qué población se ha investigado exactamente?
6. ¿La muestra representaba a la población?
7. ¿La muestra era lo bastante grande?
8. ¿Se utilizó un grupo de control?
9. ¿Las condiciones del estudio afectaron a los resultados?

10. ¿Pudo darse el caso de que los investigadores influyeran en los resultados?
11. ¿Se redactaron con cuidado las preguntas?
12. ¿Se sometieron a un pre-test las preguntas?
13. ¿Eran completos los datos?
14. ¿Se estudiaron los datos con imparcialidad?

ANALIZAR EL ANÁLISIS

15. ¿Se informó de todos los promedios?
16. ¿Se ocultaron los resultados en percentiles?
17. ¿Los datos eran tan precisos como los cálculos?
18. ¿Se confundió causa y correlación?

CUESTIONAR LAS CONCLUSIONES

19. ¿Se manipularon los datos para forzar una conclusión?
20. ¿Se exageraron las conclusiones?
21. ¿Resumían clara y equitativamente los gráficos los descubrimientos de la investigación?

3 Los medios de comunicación

Seamos realistas. ¿Cuántas personas han leído alguna vez una revista científica o tienen a mano a un investigador para que los informe sobre temas científicos? Al igual que cualquier otra persona, es probable que dependas de los medios de comunicación (TV, radio, periódicos, revistas, libros e Internet) para conocer los avances de la ciencia. Así pues, es una suerte que haya periodistas profesionales e incluso anunciantes que se encarguen de divulgarlos.

Por desgracia, no todos los informadores hacen bien su trabajo. Podrían no informar acerca de aspectos de la ciencia que necesitas saber o no hacerlo completa, clara o equitativamente. Muchas personas que trabajan en los medios de comunicación se esfuerzan, al igual que tú, por comprender la ciencia. De ahí la importancia de examinarlos mediante «Alertas mediáticas» como las que se citan en este capítulo. Te ayudarán a:

REVISAR la información acerca de las investigaciones científicas y sus resultados, y

CRITICAR los anuncios publicitarios que usan sus resultados para persuadirte a comprar productos y servicios.

A medida que te vayas familiarizando con ellas, es muy probable que seas capaz de definir tus propias «Alertas mediáticas».

Revisar los informes

En siglos pasados, los voceadores municipales se encargaban de recopilar noticias de ciudad en ciudad, anunciándolas luego a la gente congregada en las esquinas de las calles. Si el voceador obtenía equivocadamente la información, podía confundir a alguna que otra persona, pero en cualquier caso no afectaba a todos los reunidos.

Piensa en cómo han cambiado los tiempos. Con la tecnología actual en las comunicaciones, un solo noticiario puede circular alrededor de todo el globo casi instantáneamente, llegando a oídos de millones de personas. De manera que cuando los periodistas cometen un error, prestan un flaco servicio al mundo. Estate alerta.

ALERTA MEDIÁTICA

1 Un poco no es suficiente

Concédele un minuto delante de un micrófono a un presentador de noticiarios de radio o TV, o una sola columna en un periódico a un periodista, y será incapaz de ofrecer una exposición clara de una investigación científica. Pasará directamente a las conclusiones sin ofrecer ningún detalle que te permita evaluar la calidad del estudio y los resultados. ¿Quién diseñó la investigación? ¿Cuál era el tamaño de la muestra? ¿Cómo se realizó el estudio? ¿Cómo se han comparado los resultados con los de otras investigaciones sobre el mismo tema?

«La suposición de que la gente no tiene paciencia con los conceptos difíciles (...) es una profecía.»

Catherine Ford,
columnista de prensa

Demasiado a menudo los informadores no dedican suficiente espacio las noticias científicas, pues dan por sentado que la gente no comprenderá los detalles. Pero esto no es cierto. Si no presentan la historia completa, no despertarán el interés del público.

Tienes el derecho a saber más cosas acerca de la ciencia que afecta a tu salud y tu estilo de vida. Antes de dirigirte a la farmacia para comprar la última «cura» para el dolor de cabeza anunciada en televisión, debes poder verificar la mayor o menor confianza que te merece la investigación efectuada antes de su comercialización.

PREGUNTA SIEMPRE
¿Se presentó adecuadamente la investigación?

ALERTA MEDIÁTICA

2 *Claro como el barro*

Incluso los hechos que han sido bien investigados y cuidadosamente divulgados pueden confundir al público si no se explican como es debido. Supón por ejemplo que oyes decir que una grave enfermedad está afectando a una persona de cada diez. Podrías pensar que tienes una posibilidad entre diez de morir a causa de ésta, o bien que su índice de desarrollo es el mismo para las personas de todas las edades, cuando en realidad aumenta con el envejecimiento. El responsable de despejar la incógnita es el informador.

Tu turno

Selecciona los titulares del periódico que podrían resultar confusos para el lector. Veamos uno muy divertido: «"Médicos" robóticos operan con pilas».

Trasladar la investigación a un escenario o contexto más general también contribuye a que la gente la comprenda mejor. Por ejemplo, el riesgo de contraer una enfermedad determinada puede dar la sensación de haber aumentado con el tiempo, pero lo cierto es que los métodos más sofisticados de diagnóstico podrían haber contribuido a ese incremento, al igual que el simple hecho de que la esperanza de vida ha aumentado. Por lo tanto, al alcanzar una mayor edad, el riesgo de contraerla es también mayor.

PREGUNTA SIEMPRE
¿Se explicó bien la investigación?

ALERTA MEDIÁTICA

3 Como un lorito

«Bla, bla, bla... Y el Dr. Berrinche ha descubierto considerables reducciones en el crecimiento radial incremental como resultado de... bla, bla, bla.» ¡Repítelo! Algunos informadores se limitan a repetir las cosas como loritos, sin comprender a ciencia cierta el significado del estudio del que están informando ni traducirlo a un lenguaje llano. O tal vez gusten de utilizar términos técnicos («argot» o «jerga») convencidos de que así la información parecerá más impresionante o creíble. En cualquier caso, el resultado es inútil, pues el público es incapaz de comprenderla. Un periodista, por ejemplo, se vanagloriaba de utilizar «elementos del paisaje de diseño vertical» para referirse a los árboles. Otro hablaba de «facilitadores del aprendizaje de los alumnos en el aula» para designar a los profesores. A decir verdad, muchos científicos tienen dificultades para hablar de sus investigaciones en un lenguaje no técnico. Aun así, la tarea del informador consiste en captar el significado de la jerga.

Tu turno

Intenta traducir al castellano una jerigonza. ¿Puedes reducir la frase a sólo cinco palabras? «El uso de dispositivos verticales de madera y alambre evita el extravío del ganado bovino.»

(Véase «Soluciones», p. 107.)

PREGUNTA SIEMPRE
¿El informador evitó el argot?

Elementos del paisaje de diseño vertical...

Facilitadores del aprendizaje de los alumnos en el aula...

ALERTA MEDIÁTICA

4 Sin prisa

¿Una cura para el sida? ¿Contacto con los extraterrestres? En el apresuramiento de los medios de comunicación por informar de un descubrimiento, los periodistas pueden caer en la tentación de divulgar los resultados de una investigación incipiente antes de que hayan sido corroborados por otros científicos. Y asimismo, en ocasiones, los científicos, impacientes por conseguir el reconocimiento público de su trabajo, presionan a los medios para que den una noticia prematura.

Los informadores de los periódicos, TV o radio casi nunca advierten a sus audiencias de que los resultados de un estudio habrían podido ser fruto de la casualidad, o que el diseño o los métodos utilizados pueden sesgar los resultados. A veces los medios de comunicación incluso usan conclusiones de un solo estudio de exploración como un motivo para desacreditar ideas ampliamente aceptadas, sobre todo en cuanto a la alimentación se refiere.

> «Los medios son víctimas voluntarias y crecientes productores de mala información.»
>
> Cynthia Crossen, periodista y editora

Los periódicos se hicieron eco de un estudio realizado en condiciones precarias según el cual comer a diario mucho pan blanco no provocaba aumento de peso. Es más, incluso podía ser un buen método de adelgazamiento. Patrocinados por una cadena de panaderías (véase «¡Estate alerta!, n.º 2: El poder de la información»), la investigación analizó una mues-

tra de sólo 118 individuos divididos en cuatro grupos, es decir, menos de treinta por grupo (véase «¡Estate alerta!, n.º 7: Cuestión de tamaño»). Veamos cómo se diseñó el estudio:

GRUPO A Siguieron con su dieta alimentaria habitual.
GRUPO B Añadieron cuatro rebanadas de pan bajo en calorías a sus comidas.
GRUPO C Añadieron ocho rebanadas de pan bajo en calorías a sus comidas.
GRUPO D Añadieron ocho rebanadas de pan normal a sus comidas.

PREGUNTA SIEMPRE
¿Encontró el informador otros estudios que respaldasen la investigación?

El estudio duró sólo ocho semanas, un período de tiempo demasiado corto para los estudios de peso. ¿Sus conclusiones? Nadie ganó ni perdió peso, pero los investigadores dijeron que los participantes en el estudio podrían haber adelgazado en un estudio más prolongado. Vaya, vaya...

ALERTA MEDIÁTICA

5 Significativo... ¿seguro?

Presta atención a lo que te voy a contar. Un equipo de informadores de un noticiario local ha tenido conocimiento de un estudio sobre las calificaciones escolares medias en la ciudad, asegurando que existe una «diferencia significativa» entre las de tu escuela y las de la escuela Sabelotodo, cuyo índice es superior. Pero antes de engullir esta información hay que saber si aquella diferencia era realmente significativa o se trataba de lo que los investigadores llaman «estadísticamente significativo».

Finalizado el estudio, los expertos comprueban que los resultados no hayan sido fruto del azar, en cuyo caso dicen que son estadísticamente significativos. Pero esto no quiere decir que las conclusiones sean lo bastante importantes como para que tengan un significado práctico. En realidad, la media escolar en la escuela Sabelotodo (69,5%) superaba sólo en un 2,5% la de la tuya (67 %), poca diferencia, y desde luego, insuficiente como para llamarla «significativa». Al decir que el resultado del estudio era estadísticamente significativo, los investigadores simplemente estaban constatando que probablemente la diferencia entre las calificaciones medias no había sido fruto de la casualidad. Pero los informadores, que a menudo no comprenden el término «estadístico», asumieron que era sinónimo de «significativo», confundiendo inadvertidamente al público de que se había descubierto algo muy importante.

PREGUNTA SIEMPRE
¿Confundió el informador significación estadística con significación práctica?

ALERTA MEDIÁTICA

6 ¿Te asusta?

Si una persona puede morir mientras está durmiendo en la cama como consecuencia de la colisión de un avión comercial en el tejado de su casa, cabe pensar que nada está realmente exento de riesgo. Aun así, los informes de cualquier riesgo tienden a asustar a la gente, y en ocasiones, los propios medios de comunicación se sienten atraídos por esta posibilidad. Pueden conseguir que un riesgo parezca mucho peor de lo que es en realidad. Al fin y al cabo, las noticias sensacionalistas venden.

Supongamos por ejemplo que un equipo de investigadores ha descubierto que los caramelos Dulzón aumentan el riesgo de desmayo de 1 caso entre 10.000 a 3 entre 10.000. Podrías leer un titular que dijera:

Supón que po-nes la radio y oyes que el 200 fue el «año más letal» en la historia de la aviación. Las víctimas de accidentes aéreos alcanzaron una cifra récord. ¿Qué tipo de información necesitarías para decidir si estás o no de acuerdo con la conclusión del informador?

(Véase «Soluciones», p. 107.)

«Comer caramelos Dulzón triplica el riesgo de desmayo». Cierto, pero confuso. Si no conoces las cifras reales, ridículamente exiguas, podrías tomar la determinación de evitar los caramelos como si se tratara de un veneno.

El matemático John Allen Paulos calculó que si se mezclaba un vaso de una sustancia química peligrosa con suficiente agua como para llenar 2.600.000.000.000.000.000.000 vasos, el agua de cada vaso contendría 6.000 moléculas de aquella sustancia. Nadie se asustaría ante unos resultados anunciados como «La sustancia química X diluida en agua equivale a una parte en 2.600.000.000.000.000.000.000», pero expresando exactamente el mismo resultado como «6.000 moléculas de la sustancia química X en un vaso de agua» podría aterrorizar a los lectores que no comprendan cuán minúscula es esa cantidad.

PREGUNTA SIEMPRE ¿Se dio un toque sensacionalista a la investigación?

ALERTA MEDIÁTICA

7 Selección de la información

Los informadores reciben los resultados de muchos estudios y encuestas, y seleccionan las que parecen más interesantes para incluir en sus noticiarios o artículos del periódico. Si son responsables, escribirán historias completas y coherentes. De lo contrario, sólo seleccionarán los resultados de la investigación que apoye sus puntos de vista personales, omitiendo el resto.

Imaginemos que un estudio económico sobre dos fábricas de juguetes ha concluido que este año la producción de balones de playa ha aumentado un 5 % en la fábrica Divertida, y sólo un 2 % en Fabricantes de Juguetes. Los informadores cometerían un error si aseguraran que la fábrica Divertida es más productiva que su competidora si el mismo estudio mostrara asimismo que la producción de la fábrica Divertida en el año anterior (90.000 balones) era un 10 % inferior a la de Fabricantes de Juguetes (100.000 balones).

PREGUNTA SIEMPRE ¿Tamizó el informador los resultados para apoyar su punto de vista?

ALERTA MEDIÁTICA

8 ¿Suposición o realidad?

En los alrededores de Villa Aplastón los motoristas estaban encontrando más puercoespines muertos que antes, especialmente en las carreteras que atravesaban las áreas forestales. La periodista Rebeca se interesó por aquella historia y se enteró de que ciertos estudios recientes realizados sobre el entorno natural constataban que el número de animales de aquella especie muertos por atropello iba en aumento. Así pues, recopiló la información y escribió: «La población de puercoespines en Villa Aplastón está aumentando incontroladamente». Sin embargo, esta conclusión se basaba muy probablemente en sus suposiciones, no en aquellos estudios. Aunque es posible que Rebeca estuviera en lo cierto, es más probable que la ampliación de la red viaria y la intensificación del tráfico fueran las responsables del aumento de puercoespines muertos. Debería de haber profundizado más en esta historia.

PREGUNTA SIEMPRE
¿Las conclusiones se basan en las suposiciones del informador?

ALERTA MEDIÁTICA

9 En el planeta de «nunca jamás»

Pide a un científico que diga «nunca» y le temblará la voz. Aunque existan centenares de estudios fiables sobre un tema determinado, todos ellos corroborando los descubrimientos mutuos, los investigadores casi nunca son capaces de incluir términos tales como «nunca» o «siempre» en sus conclusiones. Esto se debe simplemente a la naturaleza de esa bestia a la que llamamos ciencia, aunque es algo que los medios de comunicación y el público en general suelen olvidar o malinterpretar.

Supón que un equipo de expertos ha expuesto a mil monos a un tipo de luz inusual dieciocho horas diarias, un mes tras otro,

durante varios años, descubriendo que la incidencia de cáncer en aquella población de monos era la misma a la de otros que nunca habían estado expuestos a aquella luz. Sería curioso descubrir más adelante que en realidad la luz estaba relacionada con el cáncer. Pero es posible, de manera que los científicos no pueden afirmar que la relación nunca existirá.

«La ciencia dista mucho de ser un instrumento perfecto del conocimiento. Es simplemente el único que tenemos.»

Carl Sagan, astrónomo

PREGUNTA SIEMPRE
¿Pasó por alto el informador la investigación porque no es segura al 100%?

Quienes comprenden la ciencia se sienten cómodos con este nivel de incertidumbre, pero provocan una profunda desconfianza en muchas otras personas, dispuestas a aceptar la posibilidad de error en la opinión de un amigo, pero que esperan, equivocadamente, respuestas 100 % correctas. Un columnista de periódico se lamentaba de la frustración que le producía la ciencia, que sólo proporcionaba explicaciones limitadas, concluyendo que sería preferible que las decisiones las tomaran «mentes irracionales». Lo cierto es que aunque la ciencia no pueda responder a todas las preguntas, sus informes meteorológicos son más fiables que las lecturas en el poso del café, y es capaz de evaluar el talento y las aptitudes humanas mejor de lo que lo hacen los estudios grafológicos.

Criticar los anuncios publicitarios

«Nada refresca más que la Limonada Se-Me-Hace-La-Boca-Agua.» «Blanquee su sonrisa con Blanquín, la pasta dentífrica que deja los dientes blancos.» «¡Hágase socio! El Club de Fitness El Hombre Flexible le ayudará a conseguir el cuerpo de sus sueños.» A diario nos bombardean los espots publicitarios, que intentan persuadirnos de comprar esto o hacer aquello. En el mejor de los casos son entretenidos e informativos, proporcionando datos útiles acerca de productos y servicios. Y en el peor, molestan y engañan. Sí, es cierto, existen leyes contra la publicidad engañosa, pero a menudo son difíciles de aplicar. Por otra parte, algunos anuncios, aunque no mienten, presentan las cualidades del producto confundiendo al público acerca de la «investigación» sobre la que se basan. Muéstrate escéptico y no caigas en la trampa.

ALERTA MEDIÁTICA

10 *Confianza ciega*

Si te vistes como un médico y actúas como un médico, no significa necesariamente que seas un médico. Aun así, algunos anuncios de TV, revistas y periódicos muestran a hombres y mujeres de aspecto profesional, con bata blanca, hablando maravillas de un producto. «Un fármaco que puede utilizar con toda confianza», aseguran mostrando un remedio contra la gripe. «Se lo recomiendo.» Las compañías que realizan espots de este tipo no están diciendo que su portavoz sea un investigador médico, pero cuentan con que pensarás que sí lo es y que comprarás sus productos «médicamente probados».

¿Y qué decir de aquellos anuncios que se valen de personas conocidas y respetadas para hablar de sus productos o servicios? El mero hecho de que A. Gol sea un jugador de fútbol extraordinario no quiere decir que sus opiniones sobre lo saludable que es beber zumo de piña La Palmera sean fundadas. Un producto que recurre a un famoso probablemente esté ofreciendo menos que la competencia. Incluso nada.

Va de limones

¿Cansado de tanta publicidad? Quéjate directamente a los patrocinadores y dirígete a las asociaciones de consumidores nacionales y regionales, que llaman la atención del público ante las precarias prácticas publicitarias de determinadas empresas. Las asociaciones de consumidores encabezadas por el Centro para la Ciencia en Interés Público en Washington DC, por ejemplo, denuncia a las compañías que utilizan una publicidad engañosa otorgándoles los Premios Harlan Page Hubbard Lemon (Premios Limón). Las estatuillas en forma de limón deben su nombre a un famoso charlatán del siglo XIX que anunciaba una «medicina» inocua pero ineficaz llamada Lydia Pinkham's Vegetable Compound y vendía como una cura para casi todo, desde jaquecas y depresión hasta indigestión e incluso cáncer.

Uno de estos premios fue concedido a los anuncios en TV de Quaker Oats por contar sólo la mitad de la historia. En 1998, los anuncios en cuestión aseguraban que comer cereales de avena Quaker reducía los niveles de colesterol. Pero lo que no mencionaban era que comer cereales de avena sólo había sido el responsable del 50 % de la disminución de colesterol entre las personas estudiadas. El otro 50 % dependía de cambios en la dieta y más ejercicio.

Los espots publicitarios de Ginsana, vendido como complemento energético, se hicieron merecedores de un Premio Limón por ignorar una evidencia científica. Los anuncios decían que Ginsana daba energía, a pesar de que cinco estudios publicados no encontraron prueba alguna que corroborara aquella afirmación.

PREGUNTA SIEMPRE
¿Intentan los anuncios generar falsa confianza?

ALERTA MEDIÁTICA

11 ¿Y te lo vas a creer...?

Otra vez en el fregadero. ¡A lavar los platos! ¡Qué aburrido! Aun a pesar de que papá ha intentado hacerte la vida más fácil comprando el «Súper Detergente Sudsy». Mientras luchas denodadamente con una cacerola pegajosa, resuenan en tu cabeza las palabras del anuncio: «Ningún detergente elimina la grasa más deprisa que el Súper Detergente Grasín». En realidad, no parece actuar más deprisa que cualquier otro detergente que has probado. Pero ¿dice el anuncio que Grasín es el más rápido o lo da por supuesto y espera que pienses que de eso se trata? En los tests de investigación todas las marcas de detergentes lavavajillas pueden haber eliminado la grasa «tan» deprisa como Grasín, pero no más.

Tu turno

Una mañana, tu hermanito está tomando cereales para desayunar. Mira la caja y lee: «Los cereales Polly's Porridge son los número uno en Estados Unidos». Acto seguido, lo repite y dice: «¿A qué esperas para comértelos?». ¿Cómo reaccionas?

(a) Le dices a tu hermano que no crea todo lo que lee, sobre todo cuando se trata de publicidad.

(b) Le sugieres que defina «los número uno». ¿Significa que los cereales Polly's Porridge son los que más se venden? ¿Los más nutritivos? ¿Los más deliciosos? o ¿qué exactamente?

(c) Le dices que busque en el envase un teléfono gratuito de atención al consumidor, que llame a Polly's Porridge y que pregunte por qué los llaman «los número uno» y en qué se basan para realizar semejante afirmación.

(d) Todo lo anterior.

(Véase «Soluciones», p. 107.)

Busca en la cocina otros productos cuyos fabricantes aseguren ser extraordinarios por cualquier motivo y ponte en contacto con las diferentes compañías para preguntarles en qué basan sus afirmaciones.

Veamos otro enfoque que hay que tener en cuenta. Supongamos que un espot publicitario dice: «Investigadores médicos califican AXC, el ingrediente digestivo de la jalea Buen Provecho, como el mejor tratamiento para las molestias estomacales». El anuncio no está diciendo nada que no debería decir, aun a pesar de que todos los fármacos para combatir el malestar estomacal contienen el ingrediente AXC. En cualquier caso, los anunciantes esperan que des por supuesto que sólo la jalea Buen Provecho contiene AXC y compres su producto.

PREGUNTA SIEMPRE
¿Afirman más cosas los anuncios de las que justifica la investigación?

¿Alguna pregunta más?

Aunque la mayoría de las empresas no mienten acerca de sus productos, en ocasiones realizan afirmaciones publicitarias destinadas a persuadir al consumidor. No des por sentado que tales afirmaciones demuestran que los productos son «maravillosos». Ten preparadas unas cuantas preguntas para formularles basadas en las secciones «¡Estate alerta!» de este libro. Después de todo, las investigaciones que realiza una compañía sobre sus propios productos a menudo es simple y llanamente deficiente. Veamos algunos ejemplos de afirmaciones publicitarias y posibles «contraataques».

Dicen...

Las Galletitas Tentación contienen un 50 % menos de grasas.

Nueve de cada diez personas que reparan bicicletas recomiendan neumáticos La Veloz.

Un bol de cereales Pitufín con leche aporta la mayoría de los nutrientes que necesitas.

En tests de sabor, el 60 % dijo que el zumo Zipi era tan bueno como el zumo Zape, o incluso mejor.

Las revistas más prestigiosas aseguran que el insecticida Sin Moscas es seguro para tu perrito.

Preguntas...

¿Que qué? ¿Qué la nata batida? ¿Que los productos de la competencia? ¿Que el producto original del mismo fabricante? (Véase «¡Estate alerta!, n.° 8: Grupos de control».)

¿El estudio se realizó sólo entre las tiendas autorizadas para vender y reparar neumáticos La Veloz y no de otras marcas? ¿A cuántos comerciantes se encuestó? (Véase «¡Estate alerta!, n.° 5: Bueno..., y ¿qué es "todo"?; n.° 6, ¿Sesgo o no sesgo?, y n.° 7, Cuestión de tamaño».)

¿Cuántos nutrientes derivan única y exclusivamente de la leche? (Véase «¡Estate alerta!, n.° 13: Medias verdades».)

¿Qué porcentaje dijo que Zipi era mejor y qué porcentaje respondió que Zape era igual de bueno? (Véase «¡Estate alerta!, n.° 19: No te fíes, amiguito».)

¿Qué «revistas prestigiosas»? ¿Se incluyen algunas revistas científicas? En caso contrario, ¿utilizan información sobre insecticidas respaldada por estas revistas? (Véase «¡Estate alerta!, n.° 3: Publicada o no, la basura siempre será basura».)

◆ ◆ ◆

Muy bien, ya lo has captado. Tienes la guardia alta y eres capaz de observar con espíritu crítico la forma en la que los medios de comunicación presentan la ciencia, tanto en los noticiarios como en la publicidad. Tienes mucho a tu favor en el largo camino que te permitirá diferenciar perfectamente la ciencia buena de la ciencia mala. Esta lista de recordatorio resumen incluye preguntas que te ayudarán a estar alerta cada vez que te encuentres frente a frente con una investigación en los medios.

Lista de recordatorio de las alertas mediáticas

REVISAR LOS INFORMES

1. ¿Se presentó adecuadamente la investigación?
2. ¿Se explicó bien la investigación?
3. ¿El informador evitó el argot?
4. ¿Encontró el informador otros estudios que respaldasen la investigación?
5. ¿Confundió el informador significación estadística con significación práctica?
6. ¿Se dio un toque sensacionalista a la investigación?
7. ¿Tamizó el informador los resultados para apoyar su punto de vista?

8. ¿Las conclusiones se basan en las suposiciones del informador?
9. ¿Pasó por alto el informador la investigación porque no es segura al 100 %?

CRITICAR LOS ANUNCIOS PUBLICITARIOS

10. ¿Intentan los anuncios generar falsa confianza?
11. ¿Afirman más cosas los anuncios de las que justifica la investigación?

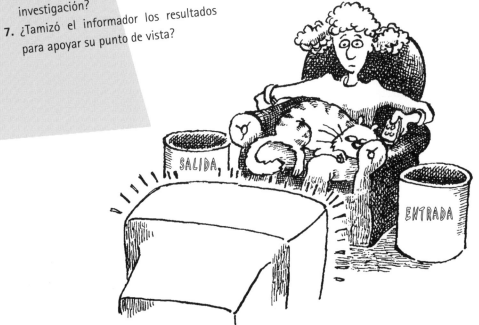

4 Mente despierta

Si deseas convertirte en un «sabueso» a la hora de descubrir la mala ciencia, necesitarás la ayuda de las secciones «¡Estate alerta!» y «Alerta mediática» que hemos examinado en los dos capítulos anteriores. Te permitirán observar con espíritu crítico los estudios científicos, la forma en la que los presentan los informadores y cómo se anuncian. Pero eso no basta. También necesitarás mantener una mente despierta para eludir las «Trampas mentales» que encontrarás a diario. Estas trampas son lo que se produce en tu cabeza cuando las partes pensantes del cerebro se cierran, funcionan ilógicamente o andan escasas de conocimientos científicos. En tal caso tendrás problemas para abordar y comprender las noticias sobre investigaciones científicas.

Al igual que otros tipos de trampas, incluso las que usan los cazadores para capturar leones y tigres, las Trampas mentales están a menudo ocultas. Tomar consciencia de ellas constituye el primer paso para combatirlas. Este capítulo te ayudará a conseguirlo. Para evitar las Trampas mentales vas a tener que:

PARARTE A PENSAR, detectando las trampas de mente ciega tales como aceptar las habladurías sin analizarlas;

RAZONAR, evitando las trampas lógicas, como asumir que algo es cierto simplemente porque no se ha demostrado lo contrario; y

SABER MÁS, potenciando tu nivel de cultura científica para comprender más fácilmente los resultados de los estudios e investigaciones.

Existen muchas más Trampas mentales que las enumeradas aquí, pero éstas constituyen un buen punto de partida para identificar los escollos y evitarlos.

A veces, quienes creen en monstruos en forma de serpiente descubren una cuando las nutrias de río se desplazan nadando una detrás de otra. Sumergiéndose y aflorando a la superficie, pueden crear la ilusión de una criatura de extraordinaria longitud.

Párate a pensar

Es más fácil aceptar ideas que cuestionarlas, ignorar la información que cambiar de opinión, seguir los dictados del corazón que de la cabeza. Más fácil, sí, pero arriesgado. Los charlatanes pueden aprovecharse de quienes no usan la cabeza. Así pues, haz un alto en el camino y reflexiona. Contribuirá a evitar estas trampas.

TRAMPA MENTAL

1

Chismorreos insustanciales

«¡Milagro! ¡Crece musgo en la luna! Lea todo lo que caiga en sus manos, vea todos los programas de televisión sobre este asombroso descubrimiento.» La noticia debe de ser cierta; de lo contrario no se divulgaría, ¿no crees? Pues por supuesto que no. Aplicar las secciones «¡Estate alerta!» y «Alerta mediática» para seleccionar la información ayuda a eludir una parte de la mala ciencia, la información-basura y la publicidad engañosa. Pero son muchísimas las personas que no cuestionan lo que están leyendo y oyendo cuando se asegura su base científica. Por absurda y poco fiable que pueda ser una investigación, a menudo impresiona e intimida.

Las personas fácilmente impresionables suelen confundir inadvertidamente a muchas otras. Por ejemplo, si tus amigos te cuentan algo, es más que probable que no les pidas explicaciones sobre la fuente de información; simplemente lo crees, y aun en el caso de que se lo preguntes, es muy posible que no lo recuerden. La gente olvida con frecuencia la fuente de la información que almacena en su memoria, de manera que si las ideas de tus amigos han sido fruto de la mala ciencia, también tú podrías quedar expuesto a ella.

> «Muchos métodos de dudosa fiabilidad continúan en el mercado porque los consumidores satisfechos atestiguan su valor.»
>
> Barry Beyerstein, psicólogo

PIENSA SIEMPRE
¿Acepto sin más lo que oigo o lo verifico con fuentes científicas fiables?

Los charlatanes conocen la fuerza de esta «parra» informal, animando a hacer correr la voz acerca de un té que hace maravillas en la curación de los resfriados o de un linimento para los golpes que parece aliviar la jaqueca. La voz se propaga, y cuando llega a ti, sigues la cadena.

Ante la duda, desconfía

Es bueno que los niños se muestren confiados. Su vida puede depender de ello. «¡No toques el horno!», grita alguien, y el pequeño retira la mano de inmediato. Los más escépticos, resueltos a descubrir las cosas por sí mismos..., se queman.

Pero desarrollar un sentido de la duda debería formar parte del crecimiento. La misma confianza que puede salvar a un niño, puede poner en peligro a un adulto. Los charlatanes dirigen sus mensajes a las personas que se muestran ciegamente confiadas, tratando de vender «terapias» o «medicinas» para combatir la fatiga, por ejemplo, cuando en realidad lo único que necesitan es un sueño reparador, ejercicio físico y una dieta nutritiva.

TRAMPA MENTAL 2
La fuente de la eterna juventud

¿Quieres estar sano, ser atractivo, atlético, encantador y eternamente joven? ¿Quién no? Durante siglos nuestros antepasados buscaron tónicos mágicos, brebajes y hechizos que pudieran garantizarles algunos o todos estos deseos. Y en la actualidad, muchos farsantes y anunciantes aseguran tener las respuestas. No, por supuesto que no hablan de magia, pero crean falsas esperanzas con sus propias formas de poción, como por ejemplo, vitaminas, polen, hierbas, lociones, fragancias, etc. Incluso los anuncios de perfumes dan a entender que bastan unas gotitas del aroma apropiado detrás de las orejas para disfrutar de apasionados romances (véase «Alerta mediática, n.º 11: ¿Y te lo vas a creer...?»).

PIENSA SIEMPRE
¿Me limito a creer lo que quiero o evalúo a partir de información científica fiable?

Ver es creer. A veces es cierto, pero en cualquier caso también podrías experimentar un caso de «creer es ver». Lo que esperas puede influir en tus observaciones. Si compras un tónico que asegura que vas a sentirte mejor, con más energía, ¿es más o menos probable que te mires al espejo y «compruebes» que tus mejillas están un poquito más sonrosadas? ¿Cómo podría influir en ti una noticia sobre la presencia de un puma en el vecindario en tu forma de reaccionar al «ver» un perro labrador en la oscuridad?

Comprueba si eres capaz de influir en lo que tus amigos «ven» y «oyen». Reúnelos una noche en una habitación silenciosa, iluminada con velas, e invítalos a contar historias de terror. Los crujidos normales de una casa y el movimiento de las sombras titilantes de la luz de las velas ¿sugieren que algo horripilante está pasando?

Tu turno

Circo de horóscopos

«Un poco de algo para todos» era lo que aseguraba poder ofrecer el famoso propietario de circo P. T. Barnum, y que según decía, era el secreto de su éxito. También éste parece ser el secreto del éxito de los escritores de horóscopos, que miran al cielo para «informar» de la personalidad y futuro de la gente: «Prefieres una cierta variedad en tus actividades diarias», dice uno. «Necesitas que los demás te quieran», reza otro. En efecto, pero no sólo tú, sino también tu mejor amigo, tu profesor de secundaria, el tío Lorenzo, la señora Cangrejo, el cartero y aquel niño que cruza la calle. La mayoría de las afirmaciones de los horóscopos son tan generales que se ajustan a casi todo el mundo. En realidad, algunos periódicos han mezclado accidentalmente los datos de los horóscopos editados sin que nadie haya presentado queja alguna por la imprecisión.

Como fuente de juego y diversión, los horóscopos son ideales. El problema se plantea cuando la gente cree en ellos. ¿Por qué? Una razón parece ser lo que los científicos llaman «Efecto Barnum», una tendencia inconsciente a leer entre líneas y a intuir más detalles de los que realmente contienen sus vagas descripciones. La gente suele recordar estas descripciones más detalladas como si fueran exactamente lo que han dicho los horóscopos, y muchos incluso suelen recordar las predicciones que se ajustan a su experiencia, olvidando las demás.

El redactor de un periódico escribía regularmente columnas de horóscopos introduciendo en un sombrero papelitos con las «predicciones», sacándolos al azar y distribuyéndolos entre los doce signos del zodíaco, tales como Aries (21 de marzo a 19 de abril) y Leo (23 de julio a 22 de agosto).

¿Mi opinión? Pregúntaselo a María

Tu amigo Roberto dice que los huevos morenos no son mejores que los blancos, pero la tía Engracia asegura que los huevos morenos, al igual que el pan moreno, son más nutritivos. De ahí que esté dispuesta a pagar más por ellos. Si piensas un poco, descubrirás que es Roberto quien tiene las cosas claras. La diferencia reside simplemente en el color de la cáscara. Algunas gallinas ponen huevos morenos; otras, blancos. A decir verdad, existe una especie de gallina, que en ocasiones se conoce como «gallina de los huevos de Pascua», que pone huevos azules o verdes. ¿Qué haría con ellos la tía Engracia?

La cuestión es que muchos de los llamados «datos» son contradictorios. Los huevos blancos son menos nutritivos que los morenos; los blancos son tan nutritivos como los morenos. En lugar de analizar las contradicciones, podrías estar tentado a ignorarlas y dar por zanjada la cuestión. Por ejemplo, cualquiera que sea la opinión de tu amigo Roberto, podrías aceptar a ciegas la de la tía Engracia o la de la revista *Huevos crudos* o del Club Lo-Sabemos-Todo.

PIENSA SIEMPRE
¿Manejo información conflictiva adoptando las opiniones de una fuente favorita o verifico recurriendo a información científica?

Si el zapato te va pequeño, será que no es de tu número

Estás convencido de que eres un genio con la tabla de snowboard, y tus amigos también. Así pues, te disgustó muchísimo que tu madre te adelantara en las pistas de Monte Nevado el pasado sábado. ¿Qué pretende?, te preguntas. ¿Querías realizar un descenso a un ritmo más sosegado? ¿Intentabas probar una nueva técnica? Tal vez sí, pero ¿no será que estás racionalizando y ofreciendo razones plausibles, aunque inciertas, para justificar tu derrota? ¿Estarías dispuesto a considerar la posibilidad de que tu madre fuera otro genio del snowboard? ¡Ni hablar!

La información que está en desacuerdo con tus suposiciones puede hacerte sentir incómodo, incluso radicalmente miserable. Para superar este sentimiento, es tentador distorsionarla para reconducirla hasta tus planteamientos. En realidad, esto es algo que hace mucha gente, incluso científicos. Cuando el Dr. William Harvey (1578-1657) descubrió cómo circulaba la sangre por el cuerpo, molestó a muchos médicos que daban por supuesto que el organismo humano consumía la sangre y luego la sustituía. En lugar de experimentarlo con métodos científicos, optaron por criticar emocionalmente la información de Harvey, concluyendo que era un investigador loco cuyas teorías no merecían la menor atención.

> **PIENSA SIEMPRE**
> ¿Rechazo o distorsiono la información científica porque no se ajusta a mis suposiciones o intento evaluarla objetivamente?

Los problemas del zorro

Esopo contaba la fábula de un zorro hambriento que encontró unas apetitosas uvas colgando en un alto emparrado. Pero por más alto que saltaba, no conseguía alcanzarlas. Tras varios intentos, se dio por vencido y se marchó murmurando: «En realidad no me habrían gustado estas uvas. Son muy amargas».

De ahí la expresión «uvas amargas». Se suele contar así: «Cuando a Julián no le dejaron jugar en el equipo de béisbol, dijo que era un equipo perdedor». Ahí están las «uvas amargas». Julián estaba deformando la información que no coincidía con sus suposiciones acerca de la habilidad en el béisbol. Al igual que el zorro, trataba de convencerse a sí mismo de que lo que no podía tener, no merecía la pena.

TRAMPA MENTAL

5 El chico inteligente

«Mejor callar que tener que excusarse» es un refrán tan antiguo como el propio mundo. Al igual que la mayoría de las personas, es probable que confíes en los proverbios y que guíes tus acciones y expliques el funcionamiento de todas las cosas a partir de sus consejos. Llevan tantos siglos repitiéndose y son tan conocidos, que es fácil suponer que son ciertos. Pero en realidad no es así.

El problema es que a menudo los refranes son contradictorios. Si es «mejor callar que tener que excusarse», ¿cómo reaccionarás ante el consejo de «quien no arriesga, nada consigue»? Si puedes elegir los proverbios a tenor de tus necesidades, ¿qué utilidad tienen?

PIENSA SIEMPRE
¿Confío en la sabiduría popular o reconozco que muchos proverbios son contradictorios y reflexiono?

Asimismo, la sabiduría popular puede oponerse a la de la ciencia. El refrán «Un rayo no cae nunca dos veces en el mismo sitio» no es fruto de la investigación. Sin ir más lejos, en una ocasión los rayos hicieron diana en el Empire State Building, en la ciudad de Nueva York, quince veces en quince minutos.

Sabiduría popular y realidad

El mundo del saber popular rebosa contradicciones. Veamos algunos ejemplos y piensa en más.

¿Es así?

- No mires más allá de tus narices.
- Combate el fuego con fuego.
- Las aves de una misma especie vuelan juntas.
- Es imposible enseñar nuevos a un perro viejo.

¿O así?

- Los polos opuestos se atraen.
- Quien duda, está perdido.
- Nunca es demasiado tarde para aprender.
- Una palabra cariñosa puede transformarse en un duro golpe.

TRAMPA MENTAL

6

¡Cúrame! Pero ¡pronto!

El pánico puede persuadir a la gente a aceptar la falsa ciencia independientemente de su inteligencia o conocimientos. Aquejadas de una enfermedad incurable, por ejemplo, muchas personas buscan ayuda desesperadamente, dispuestas a probar prácticamente todo lo que pueda curarlas, incluso polvo de cuerno de rinoceronte. En estos casos, siempre hay algún farsante dispuesto a venderlo.

Otros «investigadores» tienden a enriquecerse provocando miedo por fama o dinero («Llegan tiempos aciagos...» y cosas por el estilo). Una de estas situaciones tuvo lugar el 5 de mayo de 2000, cuando la luna, el sol y cinco planetas se alinearon con la Tierra. Sin prueba científica alguna, los agoreros aseguraron que el impulso gravitatorio combinado de todos estos cuerpos provocaría catástrofes: poderosos terremotos, vientos huracanados, deshielo. En suma, el fin del mundo.

> «Examina las cuestiones relacionadas con la pseudociencia y descubrirás un peluche para tener lindos sueños, un pulgar para succionar o una falda a la que sujetarse.»
>
> Isaac Asimov, escritor sobre ciencia

PIENSA SIEMPRE
¿Cedo ante el miedo y actúo sin pensar o recurro a la buena ciencia?

Llegó el 5 de mayo. Pasó el 5 de mayo. La alineación planetaria no tuvo ningún efecto en el clima, la geología o la vida en la Tierra, pero durante los dos o tres años anteriores se vendieron montones de libros.

TRAMPA MENTAL

7

Estate ahí e infórmate

Las experiencias, buenas y malas, pueden cambiar, a menudo inconscientemente, los sentimientos y las opiniones. Si has logrado escapar por los pelos de una casa en llamas, deberías mostrarte más precavido ante el fuego que otras personas. Si ganas con frecuencia al póker, es probable que no te andes con tiento a la hora de jugar. Pero si no reconoces que esa experiencia puede influir en tus puntos de vista, puede llevarte a confusión y hacerte dudar ante una información precisa. Podrías asumir falsamente, por ejemplo, que en todas las casas hay extintores y detectores de humo, o que las probabilidades de ganar en los juegos de azar son mayores de lo que realmente son. Y también podrías dudar de los resultados de los estudios de prevención de incendios en las viviendas y de los análisis estadísticos sobre las apuestas si no coinciden con tu propia experiencia.

> «*El verdadero pensador crítico acepta lo que pocos aceptan: que es imposible confiar rutinariamente en percepciones y recuerdos.*»
>
> James E. Alcock, psicólogo

PIENSA SIEMPRE
¿Permito que mis experiencias sesguen mi forma de abordar la nueva información o la trato objetivamente?

TRAMPA MENTAL

8

El gran salto

La mayoría de la gente se muestra extremadamente incómoda con lo que no comprende, buscando una forma sencilla y en ocasiones irreflexiva de interpretarlo. En la Antigüedad, algunas personas explicaban un eclipse creyendo que un monstruo celeste había devorado el sol o la luna. En el siglo XXI, hay quien sigue explicando los puntos en movimiento y destellos luminosos en el cielo como OVNIS.

De vez en cuando, los medios de comunicación impulsan interpretaciones sin fundamento de este tipo extrayendo sus propias conclusiones (véase «¡Estate alerta!, n.º 8: Grupos de control»), a pesar de tener muchas oportunidades de preguntar a quienes disponen de información acerca del particular. Por ejemplo, si los informadores que aseguraban que los puntos y destellos en el cielo grabados por las cintas de vídeo en las misiones espaciales eran encuentros extraterrestres hubieran contactado con el Control de Misión de la NASA en Houston, Texas, habrían obtenido una explicación más científica. Los puntos son simplemente residuos espaciales en rápido desplazamiento, y los destellos, partículas de hielo en descenso.

> **PIENSA SIEMPRE**
> ¿Salto directamente a las conclusiones o baso las mías en hechos probados?

¿Un elefante es como una cuerda?

Cuenta una antigua leyenda de India que seis ciegos querían averiguar cómo era un elefante.

El primero se apoyó en uno de sus lados y llegó a la conclusión de que un elefante era como un juro. El siguiente palpó un colmillo; un elefante era parecido a una espada. El tercer ciego tocó la trompa y dijo: «¡Los elefantes son como serpientes!». El cuarto rodeó una pata con los brazos y supuso que un elefante era como un árbol. El quinto le sujetó una oreja; en efecto, los elefantes eran una especie de gigantescos abanicos. El último ciego llegó a la conclusión de que un elefante era como una cuerda; había tocado su cola.

¿Cuál fue su equivocación? Pasar directamente a las conclusiones, al igual que lo siguen haciendo hoy muchísimas personas.

Razonamiento

Tu cerebro puede estar alerta y en funcionamiento, lo cual no quiere decir que siempre se comporte lógicamente. Al igual que cualquier otra persona, a veces piensas en círculos, haces suposiciones aventuradas o te confundes por cualquier motivo. Procura estar concentrado. Sólo así conseguirás eludir las Trampas mentales.

TRAMPA MENTAL 9

El «efecto halo»

¿Te duelen las muelas? Habla con el dentista. Cuando no dispones de la información necesaria para emprender una acción, es preferible acudir a un experto, aunque sólo si tiene conocimientos relacionados con la cuestión que te preocupa. A menos que tu dentista sea también psicólogo, será inútil que le pidas consejo acerca de la pérdida de memoria de la abuela.

Aun así, muchas personas experimentan lo que se conoce como «efecto halo», es decir, creer que los expertos en un campo también tienen conocimientos en otros, sobre todo si son muy inteligentes. Pero lo cierto es que el matemático Dr. Pitagorín de la Universidad El-Que-Más-Sabe puede saber tantas cosas de terremotos como tú.

También puedes pensar que las asociaciones profesionales son organizaciones todopoderosas, en especial si tienen nombres rimbombantes. Por ejemplo, la Asociación Mundial para el Desarrollo en la Investigación de la Autotomía puede ser un grupo de consulta excelente si quieres saber si a tu lagarto, que ha perdido la cola, le crecerá otra, pero carecerá de información fiable acerca de la infección de oído que padece tu gato.

Y una cosa más. No se puede esperar que los expertos, ya sean personas o asociaciones, lo conozcan todo en su campo. La información se acumula y cambia muy deprisa, y es difícil estar al día. Asimismo, en ocasiones los expertos tienen teorías e ideas que no están aceptadas por toda la comunidad científica. Incluso el físico y matemático sir Isaac Newton, uno de los científicos más brillantes del mundo, dedicó una parte de su vida a la alquimia, una mezcla de ciencia y magia.

PIENSA SIEMPRE
¿Pienso que los expertos lo saben todo o busco información entre los especialistas en cada campo?

TRAMPA MENTAL

10 El bucle mental

Al igual que un perro que intenta morderse la cola, el pensamiento humano puede avanzar en círculos. Por ejemplo, podrías decir: «Faustina fue elegida presidenta del consejo escolar porque tiene muchos amigos», pero luego añadir que en realidad tiene tantos amigos porque es la presidenta del consejo escolar. Algo así como si a tu canario de *pedigree* le dieras comida para pájaros Calladito-Estás-Más-Guapo porque canta demasiado, y luego lo recomendaras a tu vecino, que está desesperado porque el suyo no canta. Tan ilógico como asumir que el Dr. Sabelotodo es un as de la ciencia porque figura en cabeza del ranking de la Asociación de la Súper Ciencia, cuando todo cuanto sabes de esta asociación es lo que dice el propio Dr. Sabelotodo.

PIENSA SIEMPRE
¿Pienso en círculos o razono lógicamente, paso a paso?

Tu turno

¿Dónde reside el error en este diálogo entre Carlos y su hermana Laura?

Carlos: Merezco un aumento en mi asignación porque el trabajo que hago en casa es más importante que el tuyo.

Laura: Mi trabajo es tan importante como el tuyo.

Carlos: No, el mío es a todas luces más importante, pues me han aumentado la asignación.

TRAMPA MENTAL 11

Y ¿por qué no?

¿Debe de haber vida inteligente en otros planetas simplemente porque los científicos no han podido demostrar que no la hay? Bueno, es posible que haya vida inteligente allí afuera, pero la «prueba» que aportas ni es prueba ni es nada. Si eso es todo cuanto se necesita para concebir un argumento satisfactorio, podrías realizar un millón de suposiciones: Santa Claus, el Hada Buena, Superman, etc. Basta elegir una fantasía y decir: «¡No puedes probar que estoy equivocado!». En realidad, la prueba compete a quien realiza la afirmación, no a los demás refutarla.

Supongamos que estás cuidando a un niño de cinco años que insiste en que hay un monstruo debajo de la cama. Le dices que los monstruos no existen e intentas demostrárselo alumbrando con una linterna o formando una hilera de galletitas para hacerlo salir de su escondrijo. Independientemente de lo que hagas, el pequeñín sigue asegurando que el monstruo está ahí, que es invisible y no le gustan las galletitas. Te desesperas. En efecto, no puedes esperar que un niño de esta edad acepte una prueba de algo que está convencido que existe, pero eres lo bastante adulto para evitar esta Trampa mental. Decir que los científicos, o cualquier otra persona, son incapaces de demostrar que los monstruos o fantasmas o pequeños marcianitos verdes no existen no es ni mucho menos una prueba de que en realidad existen.

> «Es asombroso que la gente crea en los fantasmas aun cuando la ciencia los haya estudiado durante ciento diez años y no haya descubierto absolutamente nada.»
>
> Paul Kurtz, filósofo

PIENSA SIEMPRE
¿Pienso que algo es verdad sólo porque no ha sido desmentido o busco la prueba de que es cierto?

12 Conocer un poco, suponer mucho

Melisa es una fan de las dietas sanas. Nada de gaseosa ni patatas fritas. Evita cualquier alimento a menos que contenga cero o casi cero calorías. A decir verdad, todo cuanto come está saturado de nutrientes. A partir de este conocimiento, puedes asumir que su dieta, considerada en su conjunto, es sana. Sí, desde luego, Melisa come mucho pan, cereales, leche y carne o sustitutos de la carne a diario. Pero ¿y qué hay de las verduras y la fruta? Si ignora este importante grupo alimentario, su organismo no estará absorbiendo todos los nutrientes que necesita.

Conocer sólo una parte de una situación, lo que come Melisa, sólo alimentos sanos, no se aplica necesariamente al conjunto, es decir, a su dieta, que no es lo bastante equilibrada como para garantizar un organismo sano a pesar de que sólo ingiere alimentos sanos. Considera ahora el Grupo de Estudio de Súper Niños. Susana es genial en matemáticas; Tomás, un as de la química; y Esteban sobresale en los exámenes de inglés. Aunque trabajen juntos para ayudarse mutuamente, el grupo en su conjunto no tiene por qué sobresalir en todas estas asignaturas. Tal vez Tomás tenga dificultades con las matemáticas, Susana con el inglés y Esteban con la química.

Lo mismo es aplicable a la investigación científica. Un estudio sobre accidentes de bicicleta entre los adolescentes puede analizar una muestra amplia y aleatoria de este tipo de accidentes, pero no puedes dar por sentado que la investigación en su conjunto es correcta. Por ejemplo, los datos podrían referirse sólo a Chicago y luego haberse hecho extensivos a toda América del Norte.

PIENSA SIEMPRE
¿Pienso que un estudio es tan correcto como las partes que lo componen o evalúo el conjunto separadamente?

TRAMPA MENTAL

13 *Típicamente atípico*

Los adolescentes, los norteamericanos y los granjeros tienen características particulares basadas en las estadísticas de una investigación científica, sobre todo en lo que concierne a la media aritmética, lo cual no quiere decir que los adolescentes, los norteamericanos y los granjeros tengan todas aquellas características. El típico alumno en la Escuela Superior de Vaya-Usted-A-Saber puede llevar pantalón vaquero, hacérsele la boca agua con los espagueti, ser un fanático del fútbol y detestar Mozart. Pero no se puede asumir que Francisco, que asiste a esta escuela, lleva pantalón vaquero, se le hace la boca agua con los espagueti, es un fanático del fútbol y detesta Mozart. Podría incluso no reunir ni tan siquiera una de estas características.

Probablemente se te ocurrirán centenares de otros ejemplos. Una persona típicamente sana hace ejercicio con regularidad, pero el primo Enrique lleva décadas apoltronado en el sofá. Una liebre típica se alimenta de verduras, pero de vez cuando la especie ártica también come carne. ¿Captas la idea? Así pues, no des por supuesto que todos, o incluso uno sólo de los individuos, es típico del grupo.

PIENSA SIEMPRE
¿Creo que «típico» equivale a «individual» o soy consciente de que los dos términos pueden ser muy diferentes?

Por la misma razón, no puedes desdeñar una investigación acerca de lo que es típico en algún grupo o categoría simplemente porque no describe a un individuo particular que conoces. El hecho de que a tu perrito caniche le gusten las bananas no refuta los estudios que demuestran que el típico perro, o incluso el típico caniche, detestan esta fruta.

TRAMPA MENTAL

14

Contar cuentos

Tu amiga María come nabos toda la semana, y ahora anda por ahí, arriba y abajo, con una renovada energía. Luego está su abuelo Rigoberto, que asegura que comer nabos le hace levantarse despejado por la mañana y en forma para hacer frente a sus tareas cotidianas. ¿Deberías precipitarte a la tienda más próxima de ultramarinos y comprar dos toneladas de nabos? Pues no. La arrolladora energía de María podría ser el resultado del ejercicio físico o de un montón de otras cosas que han acontecido esta semana (véase «¡Estate alerta!, n.º 18: Las coronas no hacen a los reyes»). Asimismo, es posible que haya influido en el arranque de vitalidad del abuelo. Dile a la gente que se sentirá mejor después de hacer algo, como por ejemplo comer nabos, y así será. Es el poder de la sugestión, un comportamiento que los científicos llaman «efecto placebo» (véase «¡Estate alerta!, n.º 10: Sugestión»).

Es más, dos casos, aunque sean válidos, no justifican fomentar un determinado argumento. Piensa en lo que has leído acerca del tamaño de las muestras en un estudio y su importancia en la aplicación de los resultados a una población (véase «¡Estate alerta!, n.º 7; Cuestión de tamaño»). Si es posible que los nabos aporten energía extra, unos cuantos casos podrían despertar el interés científico en la verificación de esta posibilidad. Pero sin muchas más evidencias que las experiencias de María y su abuelo, carecería de sentido dar por sentado que los nabos tienen poderes especiales, lo cual, por cierto, puede ser de gran alivio para ti, sobre todo... ¡si detestas los nabos!

PIENSA SIEMPRE
¿Pienso que las conclusiones pueden basarse en anécdotas o busco evidencias científicas?

TRAMPA MENTAL 15

Todo o sólo

¿Has oído alguna vez algo así? «Carla dijo que todos los jugadores de baloncesto son veloces atletas, pero está equivocada. Tengo muchos amigos que son excelentes corredores y ninguno de ellos juega al baloncesto.» ¿Cuál es el problema en este razonamiento? «Todo» nunca significa «sólo», ni siquiera se parecen. Carla no dijo que «sólo» los jugadores de baloncesto fueran veloces corredores.

Al principio de este libro hemos hablado de los grafólogos, que aseguran que las personas creativas puntúan la «i» con un círculo. Para refutar esta conclusión, Prudencio I-Latina argumenta que «Todas las personas que conozco que puntúan la "i" con un círculo son creativas». Pero esto no significa que «sólo» la gente que lo hace con un puntito no pueda serlo. O supón que un experto en alimentación dice que el brócoli es una buena fuente de vitamina C. Si concluyeras que el brócoli es la única fuente de vitamina C, serías víctima de esta Trampa mental, pues también lo son las coles de Bruselas, los pimientos verdes, la col roja, las fresas y las naranjas.

A menudo los publicistas confían en que el público piense que «todo» significa «sólo» (véase el ejemplo de la Jalea Buen Provecho en «Alerta mediática, n.° 11; ¿Y te lo vas a creer...?»).

PIENSA SIEMPRE
¿Pienso que «todo» significa «sólo» o soy consciente de la enorme diferencia que los separa?

TRAMPA MENTAL 16

¡Qué coincidencia!

Le das al interruptor de una lámpara y llaman a la puerta. Mandas un e-mail a tu mejor amigo y un segundo después él te manda otro. Coincidencias como éstas no son tan infrecuentes como podrías pensar. En realidad, se producen a diario. Aun así, ante la extrañeza del evento, es tentador atribuirles una extraordinaria significación. A menudo la gente da por sentado que algo tiene que haber causado la ocurrencia de dos cosas al mismo tiempo, o que una es el efecto de otra (véase «¡Estate alerta!, n.º 18; Las coronas no hacen a los reyes»). Este tipo de proceso intelectivo constituye la base de supersticiones tales como «Si me pongo mis calcetines de la suerte, ganaremos el partido de fútbol.»

Piensa en todas las veces en las que han enviado un correo electrónico a tu amigo cuando él no estaba haciendo lo mismo, y viceversa, y recuerda que el timbre de tu casa suena miles de veces cuando no accionas el interruptor de una lámpara. Entonces estos sucesos son tan ordinarios y habituales que te

Tu turno

La superstición dice que pasar por debajo de una escalera, interrumpir la cadena en el envío de cartas o que un gato negro se cruce en tu camino trae mala suerte. Aunque no hay prueba científica alguna que las apoye, supersticiones como éstas han existido desde siempre. Diviértete con ellas organizando una fiesta el «día más aciago»: martes o viernes 13 (según el país). Sería excelente que vivieras en una planta 13. Trae un gatito negro, unas cuantas galletas de la mala suerte y para algunos juegos. Veamos a modo de ejemplo el entretenimiento que preparó un grupo de científicos y escépticos en California para su Fiesta de la Superstición del Viernes 13:

- Carrera debajo de escaleras.
- Derramar montones de sal.
- Interrumpir cadenas de correo.
- Juegos de adivinación.

Añade cuantos juegos se te ocurran relacionados con las supersticiones que conozcas.

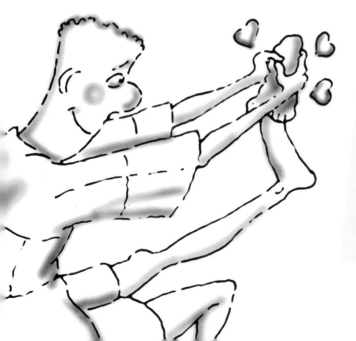

pasan inadvertidos. En caso contrario, te aconsejo que no te compliques la vida y que consideres las coincidencias ocasionales desde una nueva perspectiva.

No es una coincidencia. Veintitrés personas en una habitación. Está demostrado matemáticamente que, de uno de cada dos intentos, habrá dos que celebren el cumpleaños el mismo día.

Quienes reivindican los sucesos paranormales se aprovechan de las personas que atribuyen un significado a las coincidencias, sobre todo si éstas implican un acontecimiento emocional. La foto de tu tía se ha caído de la pared coincidiendo con su fallecimiento. No faltarán los agoreros que se apresuren a decirte que un suceso fue la causa del otro.

PIENSA SIEMPRE
¿Pienso que las coincidencias son significativas o soy consciente de que no suele haber conexión entre los dos eventos?

Razonando como el gallo

En una de las fábulas de Esopo, un gallo pensaba: «Lo primero que hago por la mañana es echar la cabeza hacia atrás y empezar a cacarear. Acto seguido amanece. Debo de ser el ave más extraordinaria de la Tierra, pues mi canto hace salir el sol».

Triste es decirlo, pero aquel gallo no es el único que razona así. La gente que concluye que «A» ha causado «B» simplemente porque «A» siempre precede a «B» están practicando el razonamiento del gallo, confundiendo «causa» con «correlación» (véase «¡Estate alerta!, n.° 18: Las coronas no hacen a los reyes»).

TRAMPA MENTAL

17 *Percepción popular*

Todo el mundo dice que el número de manchitas en una mariquita indica su edad, de manera que debe de ser verdad. Todas las entradas para el concierto de rock del viernes se agotarán; muchísimos chicos quieren asistir. «Seguro, este jarabe para la tos dará resultado; todos lo dicen.»

Cada una de estas afirmaciones utilizan la popularidad para justificar su veracidad. Pero la popularidad sólo es relevante en una de ellas: la segunda. En las otras dos, el razonamiento es erróneo. La relación entre las manchas de una mariquita y su edad es un rumor tradicional, pero no lo demuestra. La mayoría de las mariquitas tienen todas las manchitas a las doce horas de haberse transformado en adultas. Y simplemente porque mucha gente crea en el valor de un jarabe para la tos no significa que realmente la cure. En ocasiones, el pensamiento «Todo el mundo dice...» no justifica la veracidad de un suceso, al igual que el mero hecho de que algo no sea popular lo convierte en erróneo. Sé cauto con este tipo de razonamientos equivocados.

Durante siglos, la gente en todo el mundo creyó que la Tierra era plana, pero el mero hecho de creerlo no justificaba que fuera verdad.

PIENSA SIEMPRE
¿Pienso que una afirmación es cierta porque muchos lo hacen o verifico los hechos con fuentes científicas?

Tu turno

Si alguna vez has dicho: «Pero papá, todos lo hacen», la respuesta probablemente habrá sido algo así como «Bien, si todos saltaran de un puente, ¿harías tú lo mismo?». En este caso, por lo menos, papá es perfectamente consciente de que simplemente porque «todos» están pensando o haciendo algo no significa necesariamente que sea correcto. Pero al igual que cualquiera, es probable que caiga una y otra vez en esta Trampa mental. Presta atención a las conversaciones entre tu familia y amigos e intenta descubrir cuándo incurren en la Trampa 17.

Saber más

El analfabetismo tiene su origen en la falta de habilidades de lectura y escritura para hacer cuanto se necesita en la vida, y ser un analfabeto desde una perspectiva científica significa la carencia del conocimiento y comprensión básicos necesarios para diferenciar la buena y la mala ciencia.

> **«Lo que sabemos es escaso; lo que ignoramos es ingente.»**
>
> Pierre Simon Laplace, matemático, en su lecho de muerte

No quiere decir que carezcas de un enorme almacén de datos científicos ni que estés perdiendo las capacidades que necesitarías para hacer ciencia. De ser así, muchos investigadores serían analfabetos científicamente hablando en disciplinas diferentes de su propio campo del saber.

TRAMPA MENTAL 18 · Conocer mejor

El analfabetismo científico constituye un importante handicap que limita a la gente en todo el mundo. ¿Creerías que casi la mitad de los adultos norteamericanos no saben cuánto tarda la Tierra en dar una vuelta alrededor del sol? Esto es lo que ha descubierto el Centro para el Desarrollo del Alfabetismo Científico (ICASL) en estudios recientes, estimando que más del 90% de los norteamericanos son analfabetos científicos incluso en conocimientos básicos. Pero no sólo afecta a los norteamericanos. Alrededor de la mitad de los chinos encuestados por la Asociación China de Ciencia y Tecnología no sabía que la Tierra giraba alrededor del sol una vez al año.

La ciencia deficiente y la igualmente deficiente información científica pueden confundir muy fácilmente a los analfabetos científicos. Si careces de una comprensión básica de la ciencia y del método científico, no sabes lo suficiente como para formular preguntas, y tiendes a aceptar ciegamente lo que te cuentan, ya seas juez o acusado, político o votante, comerciante o consumidor, médico o paciente, y esto es extremadamente peligroso.

PIENSA SIEMPRE
¿Acepto mi nivel de alfabetismo científico o procuro aumentarlo?

En su columna «Who's Counting» en ABCNEWS.com, en marzo de 2000, el matemático John Allen Paulos preguntaba: «¿Quién quiere ser un presidente erudito en ciencia?». Diseñó un cuestionario de conocimientos científicos de quince preguntas para los candidatos a la presidencia de Estados Unidos. «En igualdad de condiciones en todo lo más», escribía, «un mayor alfabetismo científico, incluyendo ser consciente de lo que uno sabe acerca de lo que no sabe, y mostrarse receptivo al consejo científico de otros, hace mejor al candidato y al presidente.» Veamos una muestra de las preguntas del cuestionario. Intenta responderlas y luego consulta «Soluciones» en p. 107:

- ¿Existen evidencias científicas de las predicciones de los astrólogos?

- ¿Qué te haría pensar que es equivocado el cálculo según el cual la densidad de un bloque de piedra que pesa alrededor de 150 kg y tiene un volumen aproximado de 2 m^2 es de 4,246575342?

- La gente habla de la teoría de Newton, la teoría de Darwin o la de Einstein, y en ocasiones incluso de la teoría de Manolito, la teoría de Marta o la de Wenceslao acerca de esto, esto o aquello. ¿El término «teoría» tiene el mismo significado en estos dos grupos de casos? Si no es así, ¿en qué difieren?

- ¿Qué es un estudio de doble ciego? ¿Y un placebo? ¿Te gustaría fotografiarte con uno de ellos en el zoo?

◆ ◆ ◆

Estás en marcha. Ya has visto cómo funciona la mente cuando recibes noticias científicas. Estás aprendiendo a pararte a pensar y a reflexionar (a pensar lógicamente, es decir, haciendo un esfuerzo por obtener un trasfondo científico básico). Revisa a menudo esta lista de recordatorio y eludirás las Trampas mentales.

Lista de recordatorio de las trampas mentales

PÁRATE A PENSAR

1. ¿Acepto sin más lo que oigo o lo verifico con fuentes científicas fiables?

2. ¿Me limito a creer lo que quiero o evalúo a partir de información científica fiable?

3. Manejo información conflictiva adoptando las opiniones de una fuente favorita o verifico recurriendo a información científica?

4. ¿Rechazo o distorsiono la información científica porque no se ajusta a mis suposiciones o intento evaluarla objetivamente?

5. ¿Confío en la sabiduría popular o reconozco que muchos proverbios son contradictorios y reflexiono?

6. ¿Cedo ante el miedo y actúo sin pensar o acudo a la buena ciencia?

7. ¿Permito que mis experiencias sesguen mi forma de abordar la nueva información o la trato objetivamente?

8. ¿Salto directamente a las conclusiones o baso las mías en hechos probados?

RAZONAMIENTO

9. ¿Pienso que los expertos lo saben todo o busco información entre los especialistas en cada campo?

10. ¿Pienso en círculos o razono lógicamente, paso a paso?

11. ¿Pienso que algo es verdad sólo porque no ha sido desmentido o busco la prueba de que es cierto?

12. ¿Pienso que un estudio es tan correcto como las partes que lo componen o evalúo el conjunto separadamente?

13. ¿Creo que «típico» equivale a «individual» o soy consciente de que los dos términos pueden ser muy diferentes?

14. ¿Pienso que las conclusiones pueden basarse en anécdotas o busco evidencias científicas?

15. ¿Pienso que «todo» significa «sólo» o soy consciente de la enorme diferencia que los separa?

16. ¿Pienso que las coincidencias son significativas o soy consciente de que no suele haber conexión entre los dos eventos?

17. ¿Pienso que una afirmación es cierta porque muchos lo hacen o verifico los hechos con fuentes científicas?

SABER MÁS

18. ¿Acepto mi nivel de alfabetismo científico o procuro aumentarlo?

5 Estrategias ganadoras

Mientras te esfuerzas para mantenerte al margen de la mala ciencia, tienes que pensar clara y críticamente, y estar preparado para emprender una acción, lo cual, muchas veces, implica desembarazarse de algunas estrategias asumidas.

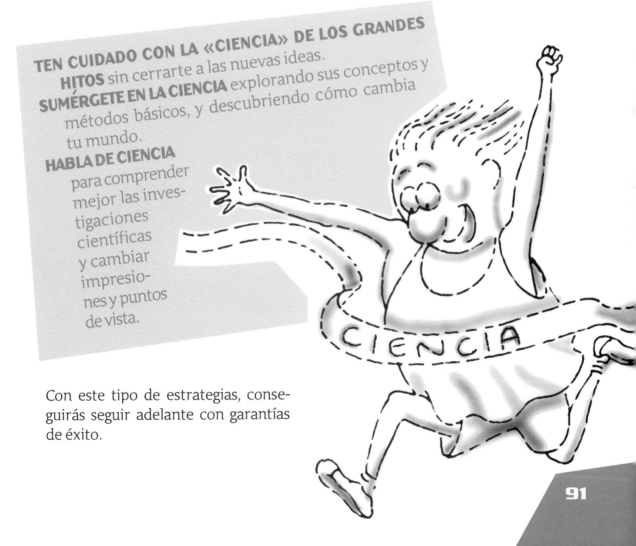

TEN CUIDADO CON LA «CIENCIA» DE LOS GRANDES HITOS sin cerrarte a las nuevas ideas.
SUMÉRGETE EN LA CIENCIA explorando sus conceptos y métodos básicos, y descubriendo cómo cambia tu mundo.
HABLA DE CIENCIA para comprender mejor las investigaciones científicas y cambiar impresiones y puntos de vista.

Con este tipo de estrategias, conseguirás seguir adelante con garantías de éxito.

Estate atento, sé sensato

Estar atento, observar o incluso sospechar de las investigaciones científicas no significa ser negativo, sino usar la cabeza para protegerse, algo por cierto esencial para la supervivencia. Pregunta, pide pruebas, insiste en la claridad y desarrolla la capacidad de extraer conclusiones más sabias y tomar decisiones más acertadas.

Estate atento, pero con la mente abierta

Estar alerta es tan esencial para la buena ciencia y el descubrimiento del conocimiento como lo es para ti. Sin embargo, los científicos fomentan un equilibrio entre la «alerta» y la «apertura» a nuevas ideas. También tú deberías hacerlo. Si te burlas de todo cuanto no te resulta familiar o es inexplicado, te arriesgas a confundir la buena y la mala ciencia. Después de todo, hubo una época en la que algunas personas dudaban de los beneficios derivados de la bombilla eléctrica, y otra en la que la gente no creía en los aviones.

«Si la mente no está demasiado abierta ni demasiado cerrada, podemos aprender más cosas de nuestro mundo y de nosotros mismos. Incluso podemos divertirnos haciéndolo.»

Joe Nickell, investigador de sucesos paranormales

La sospecha asaltó a muchos científicos pioneros tales como William Harvey, el médico que descubrió la circulación de la sangre en el organismo (véase «Trampa mental, n.º 4: Si el zapato te va pequeño, será que no es de tu número»). Cuando publicó sus trabajos, perdió la fe de muchos de sus pacientes. Asimismo, casi todos los médicos y científicos ignoraron sus descubrimientos durante veinte o treinta años.

Piensa en la mente atenta como en el cristal de una ventana. Impide la entrada, pero deja pasar la luz. La persona alerta escanea la información mediante la pregunta.

Evalúa los pros y los contras de las evidencias

Si oyes una afirmación absolutamente asombrosa, algunos consejos de un filósofo escocés del siglo XVIII podrían ayudarte a decidir hasta qué punto debes entusiasmarte. David Hume razonaba que, para poder creerla, el apoyo a cualquier aseveración debe parecer más probable que cualquier argumento que no la apoye.

Supongamos por ejemplo que cinco mil personas en un concierto de rock al aire libre aseguraban haber visto las estrellas de la Osa Mayor abandonar su formación y aproximarse a la luna para reaparecer de nuevo, repentinamente, en su constelación. Por absurda que pueda sonar esta historia, es difícil ignorar a cinco mil testigos oculares. Piensa pues como Hume. No es probable que toda aquella gente estuvieran mintiendo o soñando, pero lo es mucho menos que las estrellas se movieran. Y si lo hicieron, millones de personas también lo habrían visto, pero no fue así. Dicho de otro modo, la evidencia que apoya la aseveración es mucho menos probable que la que no lo apoya.

Asimismo, cuanto más absurda parece la afirmación, más evidencias deberías exigir para apoyarla, especialmente si contradice la ciencia aceptada. Como señaló el astrónomo Carl Sagan: «Las aseveraciones extraordinarias requieren una evidencia extraordinaria».

> *«Cuando confundimos esperanzas y hechos, nos precipitamos en la pseudociencia y la superstición.»*
> Carl Sagan, astrónomo

Ten presentes los «¡Estate alerta!» y las «Alertas mediáticas»

Tu turno

Conduce un coche por Spook Hill, Florida, o Magnetic Hill, New Brunswick, y luego párate. Pon punto muerto y el vehículo «ascenderá» colina arriba. ¿Sorprendido? En realidad no. La razón de esta curiosa experiencia no guarda ninguna relación con los fantasmas o el magnetismo. Es una ilusión óptica. No te resignes al desconocimiento. Se ha escrito mucho sobre este particular. Lee y descubre la ciencia que se esconde detrás de este suceso.

Muchas de las afirmaciones que oirás serán muchísimo menos asombrosas que la historia de estrellas que se reúnen alrededor de la luna. Serás capaz de cuestionarlas a partir de las secciones «¡Estate alerta!» y «Alertas mediáticas» de este libro y eludiendo la influencia de las «Trampas mentales». Cuando te hayas familiarizado con este proceso podrás desafiar los descubrimientos de una investigación. Te sentirás más cómodo evaluando estadísticas aun en el caso de que tus conocimientos matemáticos no sean extraordinarios, y serás asimismo más consciente de algunas de tus suposiciones ilógicas. A decir verdad, seguirás sintiéndote confuso algunas veces, nos ocurre a todos, pero a medida que vayas desarrollando tus habilidades y seguridad en ti mismo, te resultará más fácil diferenciar la buena ciencia de la mala ciencia.

El siglo de los súper escépticos

Preguntados acerca de los escépticos más sobresalientes del siglo xx, expertos dedicados a investigar las afirmaciones paranormales nombraron, entre otros, a los siguientes:

★ **El prodigio de las matemáticas Martin Gardner,** cuyos libros sobre pseudociencia, incluyendo el clásico de 1952, *Fads and Fallacies in the Name of Science,* contribuyeron a inspirar el escepticismo.

★ **El astrónomo Carl Sagan,** el «científico público» cuyos libros y programas de TV entusiasmaron al público acerca de la buena ciencia y le enseñaron a recelar de la mala ciencia.

★ **El filósofo Paul Kurtz,** fundador del Comité Internacional para la Investigación Científica de Afirmaciones Paranormales (CSICOP), una organización de distinguidos eruditos que fomenta la educación científica y la investigación crítica.

★ **El editor aeroespacial Philip J. Klass,** el «Sherlock Holmes de la ufología», que dedicó más de treinta años investigando escépticamente «avistamientos» de Objetos Voladores No Identificados.

★ **El mago y escapista Harry Houdini,** que usaba su conocimiento de los trucos de magia para desenmascarar a quienes aseguraban ser capaces de establecer contacto con los fantasmas.

94

Conecta, sigue la pista

Seguir el rastro de la ciencia no es algo que se pueda hacer de un día para otro. Se trata de un proceso de por vida, aunque divertido. Empieza «conectándote» allí donde identifiques la presencia de buena ciencia. Consulta buenos libros y revistas, programas de radio y TV de calidad, asiste a conferencias científicas y cursos de matemáticas y visita páginas Web que merezcan la pena. Y ante todo, no pierdas el Norte; avanza en la dirección correcta.

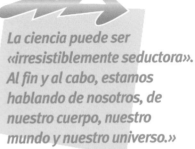

La ciencia puede ser «irresistiblemente seductora». Al fin y al cabo, estamos hablando de nosotros, de nuestro cuerpo, nuestro mundo y nuestro universo.»

Richard Flaste,
editor de temas científicos

Familiarízate con los conceptos científicos clave

Podrías empezar con un libro científico básico. *Temas científicos*, de Robert Hazen y James Trefil, por ejemplo, está estructurado en dieciocho principios amplios que los autores han pensado que todo el mundo debería conocer, tales como «Toda la vida está relacionada» y «La electricidad y el magnetismo son dos aspectos de la misma fuerza». Asimismo, podrías echar un vistazo a la obra de James Trefil *Mil y una cosas que todo el mundo debe saber sobre la ciencia*.

Descubre cómo funciona la ciencia

Es muy importante familiarizarse con el enfoque general ante la investigación científica. Todas las disciplinas científicas siguen la misma pauta básica de investigación, de manera que si te «aproximas y recalas» en una de ellas, te sentirás más en casa con las demás. Lee con regularidad, visita laboratorios científicos, asiste a cursillos públicos en universidades y habla con investigadores y educadores de ciencia.

Desarrolla tu sentido del análisis complementando tu formación con un poco de estadística y consulta libros escritos en lenguaje llano, no por ello menos fascinantes, tales como *The Honest Truth about Lying with Statistics*, de Cooper B. Holmes. No sólo mejorarás tu comprensión de esta disciplina científica, sino que comprobarás con qué facilidad se puede utilizar para crear confusión.

Tu turno

Cuando sabes cómo se hace un truco de magia, deja de ser magia. En su libro *Science Magic*, Martin Gardner comparte diversos trucos que han pasado de mago a mago a lo largo de los años. Prueba uno: Haz girar muy deprisa un huevo crudo y páralo inmediatamente con la punta de un dedo. Retira enseguida el dedo y observa. El huevo seguirá girando lentamente. La «magia» reside en el líquido contenido en el huevo, que sigue girando.

Observa cómo influye la ciencia en la sociedad

Vertidos químicos en los ríos, órganos clonados para transplantes, meteoritos colisionando con la Tierra. Las cuestiones científicas aparecen en los noticiarios casi a diario, y como alguien que vive en una democracia, tienes algo que decir en la forma en la que responde tu país. De manera que es importante que sepas hacia dónde se encamina y cómo podría afectarte. Lee todo cuanto puedas, sintoniza una amplia variedad de programas de radio y TV, y explora *websites*. Te permitirá almacenar nuevos datos y conocer la mayor cantidad de puntos de vista posible. Busca una cobertura informativa equilibrada, completa y precisa.

Peligro: «setneinevnocnl sejasneM»

¡Psst! ¿Te gustaría saber lo que dicen tus amigos y tu familia cuando hablan de ti? Grábalos mientras hablan. Luego rebobina y escucha. Por lo menos esto es lo que dicen hacer quienes creen en la noción del «habla inversa». Están convencidos de que hay mensajes de retroceso, la «voz de la verdad», ocultos en el habla normal de la gente.

Aunque no exista ninguna investigación científica que apoye la idea del habla inversa, sus defensores aseguran que es un instru-

mento extraordinario para la sociedad que podría ayudar a las empresas a contratar empleados, a los informadores a analizar a los políticos, y a los abogados a extraer «evidencias» de los testigos. ¡Qué barbaridad! Imagina el daño que podría ocasionar de fundamentar decisiones importantes en algo tan insignificante, o mejor en «ogla nat etnacifingisni».

Desarrolla tus habilidades intelectivas

Poner a punto tu mente es algo que deberías hacer a todas horas. Practica el fitness mental al igual que el fitness físico e incorpóralo a tu rutina diaria. Sigue trabajando para diferenciar la evidencia de la propaganda, la lógica de la superstición, las conclusiones de las suposiciones, y la ciencia del folclore. Tus capacidades de pensamiento crítico requieren mucho ejercicio, aunque los resultados pueden ser divertidos y útiles al mismo tiempo. Elige unos cuantos libros o programas de software que incluyan puzzles aritméticos y problemas de lógica, y pásatelo en grande.

«La ciencia no consiste en memorizar palabras complejas y datos inútiles, sino en hacer preguntas, cuanto más simples mejor, e intentar insistente y obstinadamente obtener respuestas sensibles.»

Marc Abrahams, editor y creador del Ig Nobel Prize Ceremony

Habla, expresa tu opinión

Si sabes identificar la mala ciencia y te has sumergido en la buena, sin duda alguna estarás avanzando a pasos agigantados para perfeccionar tus habilidades en la evaluación de la investigación. Pero existe otra estrategia que puede ayudarte. Requiere hablar y expresar la opinión (a los científicos, medios de comunicación, educadores e incluso el gobierno). Únete a otras voces que están exigiendo una información científica más completa y de fácil comprensión, y abogando por una educación e investigación científica de calidad. Veamos cuatro

El concurso del millón de dólares

Una cosa es desafiar a alguien y otra «ponerte el dinero al alcance de la mano». Eso es lo que han hecho James Randi, de *James Randi Educational Foundation*. La organización apoya y realiza investigaciones sobre sucesos paranormales. Como mago y escapista profesional, está capacitado para detectar los trucos.

Durante décadas, Randi ofreció 10.000 dólares por «la realización de cualquier evento paranormal, oculto o sobrenatural bajo condiciones de observación adecuadas». Centenares lo intentaron, incluyendo el director de un instituto que aseguraba que con el tacto era capaz de «momificar»

los alimentos, y un bibliotecario/científico que intentó usar un tubo de latón y un alambre para descubrir ruinas antiguas en un

$1.000.000 DE DÓLARES

mapa. Pero ninguno de los casos ha sido probado.

Más recientemente, la Fundación de Randi instituyó un Concurso Paranormal con un premio más asombroso si cabe: 1.000.000 de dólares. El dinero está destinado a «premiar y dar publicidad a cualquier demostración legítima de capacidad paranormal bajo condiciones de test adecuadas». No te lo pienses dos veces esperando que alguien se te adelante.

formas de hacerlo: animar a los científicos, espolear a los medios, estimular a los educadores y guiar al gobierno.

Animar a los científicos

A los científicos les gusta que los comprendan y gozar del apoyo de los medios y del público, es decir, de personas como tú. Pero no siempre se dan cuenta de que explicar lo que están haciendo, cómo y por qué forma parte de su trabajo. Muéstrales que estás dispuesto a saber. Habla con el director de tu escuela para que invite a algún investigador a dar una charla en clase, clubes y otros grupos. Anímalos a compartir sus métodos de investigación y sus descubrimientos en términos que todo el mundo, incluidos los medios de comunicación, pueda comprender.

Espolear a los medios

Si quieres más información científica, pídela. Dirígete a los periódicos, cadenas de TV y productores de radio. Algunas investigaciones nunca llegan al gran público porque los directivos de los medios creen que no es ameno ni visual, o porque a sus patrocinadores no les gustarían los resultados de un estudio determinado.

«Los medios informativos y de entretenimiento que dedican tanto tiempo a la "no-ciencia", no hacen lo mismo con la "sí-ciencia".»
Dyan Machan, periodista

Y cuando hables con los medios, diles que te interesan tanto las buenas como las malas noticias. Demasiado a menudo los informadores de ciencia centran su atención en historias aterradoras acerca del posible peligro que suponen algunos procesos o sustancias químicos. Pero cuando más tarde se demuestra que estas mismas cosas son inocuas, pasan a la categoría de «no-noticia» y no se publican, o por lo menos, no con todos los detalles que serían de desear.

Fomenta una información científica completa, clara, precisa y responsable, insiste en la necesidad de conocer los detalles para poder confiar en una investigación y pide a los informadores que mencionen otros estudios de investigación sobre el mismo tema.

Transfórmate en un «vigilante de los medios». Llama o escribe para criticar cualquier promoción o falsa ciencia, y haz un especial hincapié en el daño que puede ocasionar. Incluso cuando se presenta de una forma divertida en las tertulias, la ciencia-farsa atrae una atención que no merece.

Las escuelas, institutos y universidades forman parte de tu patrimonio, de manera que tienes el derecho a reclamar una educación científica bien fundamentada, incluyendo cursos i cursillos acerca de cómo influye la ciencia en la sociedad. También estás en tu derecho a exigir formación en pensamiento crítico y lógica a todos los niveles. Apoya a los profesores y a los líderes de la comunidad que promueven programas educativos de buena ciencia y aportan recursos.

Tu turno

- Si un periódico publica horóscopos, pide al director que incluya la expresión «de mera diversión» y que los inserte en las páginas de pasatiempos.
- Si escribes una carta al director de un periódico o revista para quejarte de la información científica poco fiable que publica el rotativo, tienes la oportunidad de ganar un Citizen Sane Award por tu esfuerzo. Envía tu carta publicada a CSICOP, P.O. Box 703, Amherst, NY 14226. El personal de CSICOP (Committee for the Scientific Investigation of Claims of the Paranormal) elige un ganador cada año.

Estimular a los educadores

Tu turno

- Averigua en qué medida las bibliotecas públicas y de la escuela apoyan la educación científica. ¿Disponen de una amplia selección de libros científicos de reciente publicación? Anima a tus amigos y familiares a realizar la misma sugerencia.
- Pide a los centros de la comunidad y programas escolares nocturnos que organizan cursos de adivinación, tales como la lectura del porvenir en el poso del café o la cartomancia, que los anuncien como «sólo como diversión».

Guiar al gobierno

Plantea al gobierno tus exigencias de educación científica y solicita apoyo y financiación. ¿Otras peticiones que podrías hacer? Fomentar el incremento de la financiación para la investigación, de tal modo que los científicos no tengan que depender del salario de empresas y asociaciones que podrían influir en los resultados. Y también recabar el apoyo de agencias para que protejan al consumidor contra la publicidad que deforma los resultados de la investigación científica.

«La ciencia nos permite ver el mundo con nuevos ojos, explorando el pasado, mirando a través del espacio y descubriendo la unidad en las maravillas del cosmos.»

Robert Hazen y James Trefil, científicos

Curas para más enfermedades letales, robots capaces de procesar trillones de instrucciones por segundo y descubrimientos tan asombrosos que nadie ha soñado. En este siglo la investigación científica cambiará el mundo en el que vives. En realidad, es probable que ni siquiera imagines cómo será tu vida dentro de cincuenta años. Nadie puede hacerlo.

Estate preparado; infórmate acerca de la ciencia mejor de lo que el ser humano lo ha estado jamás. Los estudios, afirmaciones e informes de los medios de comunicación poco fiables o simple y llanamente falsos, crecen como champiñones, y corres un gravísimo riesgo de extravío. Sé precavido, conecta y habla. Utiliza la siguiente lista de recordatorio y actúa en consecuencia. Sólo tú puedes marcar la diferencia.

Lista de recordatorio de estrategias ganadoras

ÉSTATE ATENTO, SÉ SENSATO

- Sé cauto ante los «grandes hitos» de la ciencia sin cerrar las puertas a las nuevas ideas.
- Evalúa si la evidencia que apoya una afirmación parece más o menos probable que la que no lo apoya.
- Ten presentes los «¡Estate alerta!» y las «Alertas mediáticas», y elude las «Trampas mentales».

CONECTA, SIGUE LA PISTA

- Familiarízate con los conceptos científicos clave.
- Descubre cómo funciona la ciencia.
- Observa cómo influye la ciencia en la sociedad.
- Desarrolla tus habilidades intelectivas.

HABLA, EXPRESA TU OPINIÓN

- Anima a los científicos a explicar lo que hacen, cómo y por qué lo hacen.
- Exige a los medios una información científica más sólida.
- Estimula a los educadores a ofrecer una buena formación en ciencia, lógica y pensamiento crítico.
- Guía al gobierno en la financiación de la investigación científica y la educación, así como también a las agencias de protección del consumidor.

BIBLIOGRAFÍA

Flaste, Richard, ed., *The New York Times Book of Science Literacy: What Everyone Needs to Know from Newton to the Knuckleball*, Random House of Canada, Toronto, 1991.

Gardner, Martin, *¡Ajá!: paradojas*, RBA Coleccionables, Barcelona, 1994.

—, *Magia inteligente*, Zugarto, Madrid, 1992.

Hazen, Robert, *Temas científicos*, RBA Coleccionables, Barcelona, 1994.

Holmes, Cooper B., *The Honest Truth About Lying with Statistics*, Charles C Thomas, Springfield, Illinois, 1990.

Ingram, Jay, *The Science of Everyday Life*, Viking Press, Markham, 1989.

Klein, David y Klein, Marymae E., *How Do You Know It's True?*, Charles Scribner's Sons, Nueva York, 1984.

Paulos, John Allen, *Un matemático lee el periódico*, Tusquets, Barcelona, 1996.

Randi, James, *An Encyclopedia of Claims, Frauds, and Hoaxes of the Occult and Supernatural*, St. Martin's Press, Nueva York, 1995.

Sagan, Carl, *El mundo y sus demonios*, Planeta, Barcelona, 2005.

Trefil, James, *Mil y una cosas que todo el mundo debe saber sobre la ciencia*, Plaza & Janés, Barcelona, 1994.

Wade, Nicholas; Dean, Cornelia, y Dieke, William A., eds., *The New York Times Book of Science Literacy, Volume 11: The Environment from Your Backyard to the Ocean Floor*, Random House of Canada, Toronto, 1994.

Wolke, Robert L., *Lo que Einstein le contó a su barbero*, Ma Non Troppo, Teià (Barcelona), 2003.

—, *Lo que Einstein no sabía*, Ma Non Troppo, Teià (Barcelona), 2002.

Glosario

Analfabetismo científico: Falta de un conocimiento básico y de una comprensión de la ciencia y el método científico.

Causa: Relación entre dos cosas cuando una es el resultado de la otra.

Correlación: Relación entre dos cosas que varían al mismo tiempo. Una puede aumentar mientras la otra aumenta; una puede disminuir mientras la otra disminuye; o un incremento en una puede estar relacionado con una disminución en la otra. Correlación no equivale a causa.

Efecto Barnum: Tendencia a leer en mayor profundidad el contenido de descripciones vagas de situaciones.

Efecto halo: Generalización derivada de la cualidad de un rasgo a otros rasgos pertenecientes a la misma persona o grupo.

Estadística: Disciplina científica que usan los matemáticos para recopilar, organizar, calcular y describir datos.

Estadísticamente significativo: Resultado de un estudio que probablemente no ocurrió sólo por azar.

Grupo de control: Personas o cosas con características similares a las del grupo de test en un experimento.

Jerga (argot): Terminología técnica usada por un grupo, profesión u ocupación.

Media: Suma de un conjunto de cifras dividido por el número de cifras que componen el conjunto.

Mediana: Valor medio de un conjunto de números. La mitad de los números valen lo mismo o menos que la cifra mediana.

Modo: Número que aparece más a menudo en un conjunto de números.

Muestra: Parte del todo, o población. Número suficiente de personas o cosas para proporcionar información fiable acerca de la población.

Muestra aleatoria: Muestra (parte de un todo, o población, que se estudia) en la que cada individuo o cosa tiene la misma posibilidad de ser seleccionado.

Muestra sesgada: Muestra (parte del todo, o población, que se estudia) que no representa realmente la población.

Percentil: Número en el que un porcentaje determinado de los valores de un conjunto es igual o inferior a ese número. El percentil 50 equivale a la mediana.

Placebo: Acción o cosa que carece de efecto real aunque los sujetos que participan en un experimento puedan creer que sí la tiene.

Población: Grupo entero estudiado. Habitualmente hay demasiadas cosas o individuos en una población como para estudiarlos por separado.

Promedio: Media, mediana o modo. En el lenguaje cotidiano, «promedio» se suele emplear como sustituto de «media».

Promedio aritmético: Media, o suma de un conjunto de cifras dividido por el número de cifras que componen el conjunto.

Pseudociencia: Falsa ciencia. Métodos o teorías que presumen erróneamente de base científica.

Técnica del doble ciego: Método que evita el sesgo durante un experimento científico. Ni los experimentadores ni los sujetos que participan en el test saben exactamente quién está recibiendo qué tratamiento.

Teoría: En ciencia, idea o explicación lógica respaldada por un conocimiento científico.

Soluciones

Tu turno, p. 33

(d) Véase «¡Estate alerta!, n.º 17: Falsa ilusión»: discusión sobre la precisión con la que estos científicos decidieron informar de los resultados.

Tu turno, p. 43

Tu mediana sería del 80 %. Si sólo hubieras elegido inglés, francés, biología y matemáticas, la mediana habría sido del 76 %.

Tu turno, p. 44

La asignación de Beth corresponde al percentil 30.

Tu turno, p. 49

Si quisieras que tus padres te dejaran tirar 8 coles en lugar de 6, podrías decir: «Los escarabajos afectaron a 4 coles y los hongos a otras 4». Esto es cierto, pero por supuesto esperarías que tus padres no descubrieran que algunas coles afectadas por los escarabajos «sólo» lo habían sido por hongos.

Tu turno, p. 56

¿Qué te parecería «Cerca para ganado de corral»?

Tu turno, p. 60

Antes de aceptar las conclusiones del informador deberías comparar el número de víctimas y el de pasajeros durante varios años, además de las distancias recorridas en vuelo.

Tu turno, p. 64

(d)

Tu turno, p. 89

Veamos las respuestas de Paulos a una parte de su cuestionario de alfabetismo científico «¿Quién quiere ser un presidente erudito en ciencia?» para los candidatos presidenciales de Estados Unidos en el año 2000. Si has contestado algo similar, ¡palmadita en la espalda! Luego apresúrate a la oficina de presentación de candidaturas.

- No
- La respuesta es más precisa que posible a tenor de la naturaleza aproximada del peso y volumen.
- Una teoría científica es una recopilación interconectada y coherente de afirmaciones basadas directamente por la evidencia e indirectamente por la relación de las afirmaciones entre sí y otras pruebas aceptadas. Un sig-

nificado diferente sería una suposición no demostrada o una creencia personal.

- Un diseño experimental en el que ni los experimentadores ni los sujetos saben quiénes están recibiendo el nuevo tratamiento y quiénes el placebo, habitualmente una sustancia inerte, como por ejemplo una píldora de azúcar, sin efectos físicos.

LA AVENTURA DE LA CIENCIA